# 흙수저 탈출, 일탈로 성공하기

성공을 꿈꾸는 흙수저의 자기경영 교과서

# 흙수저 탈출, 일탈로 성공하기

유민수 지음

마음세상

PROLOGUE 흙수저 연금술사의 길 … 8

CHAPTER I 너무 빨리 찾아온 시련

초등학교 4년 중퇴 … 13
산골소년, 지게 지고 낫질하고 … 17
데일 카네기를 만나다 … 20
검정고시, 재기의 발판 … 23
건너뛰고 대학가자 … 29
물리학자를 꿈꾸다 … 34

CHAPTER II 젊은 날의 도전과 실패

17세 소년, 법대생 되다 … 38
반쪽을 만나다 … 43
치열했던 대학 생활 … 46
성공한 실패, 사법시험 29회 … 48
대학졸업과 진로고민 … 52

CHAPTER III 인생의 황금기

아가씨와 사관 … 57
군대는 썩는 곳이 아닙니다 … 66
취업, 총성 없는 전쟁 … 71
직장생활과 자기계발 … 74
워라밸로 행복 찾기 … 92

인생 이모작 … 100

CHAPTER IV 해외에도 길은 있다

꿈은 이루어진다 … 110
국제변호사가 되고 싶다면 … 117
캐나다로 이민가자 … 123
돈 없어도 유학 간다 … 136
잉글리시 디바이드 … 143

CHAPTER V 흙수저 연금술의 6가지 핵심전략

남의 시선 무시하고 핵심에 집중하기 … 149
틀에서 벗어나 자기 주도적 삶 살기 … 160
독서와 공부로 유연하게 사고하기 … 167
성공의 선순환 열차 올라타기 … 177
목표 구체화로 자기불신 벗어나기 … 193
부자 혐오 버리고 부자 마인드 배우기 … 201

EPILOGUE 일탈은 계속된다 … 213

PROLOGUE
# 흙수저 연금술사의 길

"어무이 아부지 해피 어버이날~~♡ 늘늘늘!! 넘나넘나 감사드립니다!!. 좋은 환경 주변의 좋은 사람들 많은 기회 등등 결코 당연한 것들이 아닌데, 이런 privilege를 누릴 수 있게 만들어 주셔서 감사해여. 저는 행복한 딸이랍니다. 앞으로 더더 감사하며, 열심히 살아서 효도 많이많이 할게여~~♡♡"

지난 어버이날 캐나다에서 토론토대학교에 다니는 딸이 보내온 메시지다. 40여 년간 자식들에겐 흙수저의 삶을 대물림하지 않겠노라 다짐하며, 이를 악물고 살아왔다. 그 세월이 헛되진 않았구나 싶어 감격했던 순간이다.

'아이들이 해외에서 유학하고 있어? 흙수저는 무슨…….' 이런 생각을 할 독자가 있을지 모르지만, 나의 두 아이는 결코 돈이 많아서 유학한 게 아니다. 내가 기술이민을 신청해서 영주권을 얻어 아이들이 캐나다로 갔고, 아이들은 아르바이트로 용돈 벌고, 학원 도움 없이 스스로 열심히 공부해서 명문대학에 갔다. 국내보다 돈이 더 들 이유가 없었다. 아니, 실제는 훨씬 덜 들었다. 투자이민과 달리 기술이민엔 돈이 들지 않기 때문이다. 캐나다 기술이민 제도는 메리트 시스템이므로, 누구나 노력해서 기준 점수만 취득하면 된다. 아이들 교육은 고등학교까지 무료이고, 대학도 많은 혜택을 누리며 다닐 수 있다. 아이들 해외 유학의 꿈은 돈이 아닌 나의 노력으로 이루어 줬다. 1922년, 1934년생인 나의 부모님은 공식 학력이라고는 전혀 없는 분들이다. 집 한 칸 땅 한 평 가진 게 없는 부모님 밑에서 태어나, 원조 흙수저인 나는 돈도 학벌도 연줄도 아무것도 없이 시작했다. 맨손으로 시작해서, 지금은 공기업 간부로 재직하며, 공무원인 아내, 해외 명문대학 출신의 아들, 딸을 두고 있다. 84세 홀어머니를 모시며, 직장 가까운 지방 신도시에 산다. 임대주택 투자로 노후 안전판이 되어줄 소득원도 마련해 뒀다. 앞으론 100세 시대라 하니, 퇴직 후 경제활동에 도움을 줄 국가 전문자격도 취득했다. 이만하면 성공한 중산층이라 할 수 있지 않을까?

초등학교 4학년을 중퇴한 후, 3년 넘게 산골 생활을 하던 나는 동네 또래의 헌책을 얻어 공부를 다시 시작했다. 운이 따라주어, 초 · 중 · 고등학교 졸업학력 검정고시를 14개월 만에 모두 합격하였다. 무학이나 다름없던 나에게, 온전한 독학은 너무나 힘든 일이었다. 그 시절 나 자신을 믿고 노력으로 극복할 수 있게 지탱해 준 것은 좀 더 나은 미래를 향한 꿈이었다. 병마로 아버지가 돌아가신 후, 어렵사리 지방 국립대 법학과에 진학했다. 식당에서 일하며 자식들 뒷바라지하던 홀어머니의 고생을 하루빨리 끝내드리고 싶었다. '취업해서 돈을 벌어야지!' 나는 어떻게든 살아남아야 했다. 이를 악물었고, 오직 나 자신의 노력만 믿고 지금껏 고군분투하며 살아왔다.

'겨우 중산층이 꿈이라고?' 이런 의문이 들지 모른다. 꿈은 크게 가질수록 좋다. 하지만, 대다수 흙수저 출신 서민들이 이룰 수 있는 현실적인 꿈은 중산층

정도가 아닐까 싶다. 집과 자동차를 소유하고 있고, 아이들 교육에 남들 하는 만큼은 투자할 수 있으며, 용돈이 크게 궁핍하지 않을 정도의 고정수입이 있는 화목한 가정을 가진 사람. 내가 생각하는 중산층인데 여러분 생각은 어떤가? 중산층의 정의는 생각보다 다양하다. 미국이나 서구 선진국에서 생각하는 중산층은 소득 외 기준까지 포함한다. 미국의 기준은 주택소유, 자녀 대학교육, 의료보험, 퇴직연금, 가족휴가, 사회적 약자에 대한 배려, 부정과 불법에 대한 저항, 비평지의 정기적인 구독까지 포괄한다. 프랑스에서는 한 개 이상의 외국어 구사 능력, 스포츠 활동, 악기 연주능력, 약자를 위한 봉사 활동, 별미 음식의 요리능력까지 갖춰야 한다. 영국의 중산층은 페어플레이 정신과 신념을 갖고 있으며, 약자는 두둔하되 강자에겐 맞설 줄 알아야 하고, 불의와 불법에 저항하는 사람이라고 한다. 단순화해서 소득 기준만 보면, OECD와 우리나라는 중위소득 50~150%를 중산층으로 본다. 여기에 해당하는 중산층의 월평균 소득은 366만 원이지만, 그들이 생각하는 이상적인 중산층의 월평균 소득은 511만 원으로 차이가 크다. 문화생활 · 수면시간 · 점심비용 · 저녁식사 시간 등 모든 일상 영역을 소득계층별로 비교해보면 소득에 따른 차이가 명확히 나타나며, 이러한 소득 차이는 상당 부분 학력 차이에서 기인한다(NH투자증권 「2017 대한민국 중산층 보고서」). 2014년 현대경제연구원의 설문조사 결과를 봐도, 사람들이 생각하는 이상적인 중산층의 모습은 월 소득 515만원에 3억 7천만 원 상당의 집을 포함한 6억 6천만 원의 순 자산을 보유한 사람이라 하니, 중위소득 수준과는 거리가 있다.

나는 수백억대 자산을 가진 큰 부자도, 국회의원이나 장 · 차관이 되어 뉴스에 나오는 출세한 사람도 아닌, 그저 회사에 다니는 50대 아저씨일 뿐이다. 하지만, 지금 나의 자리는 40년간 흘린 땀과 눈물로 이룬 결실이다. 나는 직장생활을 시작한 후 한시도 주경야독을 멈추지 않았다. 그 결과, 열네 살의 나는 무학이었지만, 현재는 법학박사 학위와 석사학위 네 개를 가지고 있다. 결혼할 때는 빈손에 빚까지 지고 시작했지만, 지금은 노후 걱정 없을 만큼 자산을 가지고 있고, 공부 잘 하는 두 아이와 공직에서 성공적인 커리어를 쌓은 아내가 있다. 또한, 미국 변호사와 호주 공인회계사, 그리고 언제든지 사무실을 열고 경제활동을 할 수 있는 3개의 국가 전문자격도 가지고 있다. 나는 26년 간 직장생활을 하면서, 끊임없는 자기계발로 흙수저 탈출과 한 단계 업그레이드 된 인생 이모작을 준비해 왔다. 너무 낮은 곳에서 시작하였기에 40년의 노력으로 50대가 된 이제야 이뤘지만, 성공한 중산층도 되었다. 내가 그 동안 '흙수저'를 '금수저'로 바꿔 가는 데 쓴 연금술 재료는 평범한 길을 거부한 '일탈'이었다. 납으로 금을 만들겠다던 연금술의 진정한 의미는, 인간 내면의 잠재된 가능성을 개발하여 고귀한 존재로 만드는 데 있다. 그러니 내 인생은 한마디로 '흙수저 연금술사의 길'이었다고 할 수 있다.

타고난 환경의 제약을 극복하고 꿈꿔 왔던 행복한 인생이막을 눈앞에 둔 지금, 노력만으로 이룬 나의 작은 성공이, 치열한 경쟁에 치이고 부조리한 현실에 좌절하며 평범한 중산층이 누리는 작은 행복마저 이루기 힘든 꿈이 되어버린 이 땅의 흙수저들에게, 희망과 용기의 메시지가 될지 모른다는 생각으로 이 책을 쓰게 되었다.

# CHAPTER I

# 너무 빨리 찾아온 시련

## 초등학교 4년 중퇴

"어떠한 과정도 이유 없는 것이 없다.
모든 생성은 그 원인을 가지며 그러기 때문에 필연이다."
_레우키포스

짧았던 학창시절

나의 학창시절 기억은 초등학교 4년이 전부다.

50대에 접어든 지금도 초등학교(당시 국민학교) 입학하던 날 남들 다 아는 애국가를 몰라서 입만 벙긋벙긋하던 일, 선생님 질문에 다 알고 있으면서도 수줍어 손도 못 들고 눈치만 보던 일, 학교 가서 풍금이라는 걸 처음 봤는데 집에 피아노가 있는 아이도 있다는 사실에 놀랐던 일, 2학년 때 구구단을 외우는 숙제를 다 못해서 방과 후 교실에 남아 외우던 일, 중간고사 전교 1등을 했는데 공동 1등을 했던 여자아이만 선생님들께 관심과 칭찬을 받는 것을 보며 서운했던 일, 한 반에 65명씩 한 학년이 열 개 반이 넘어 교실 부족으로 오후반 수업을 위해 점심 먹고 등교하던 일들이 어제 일처럼 생생하게 기억에 남아있다. 짧았던 학창시절이라 더 애틋한 추억으로 남는 것 같다.

'초등학교 4년 중퇴.'

분명 시련의 시작이었지만, 묘하게도 나에게 절망감은 없었다. 너무 어려 현실 인식을 제대로 못 한 탓이 컸겠지만, 뭐든 할 수 있을 것 같은 '전혀' 근거 없는 자신감만은 있었다.

### 아버지의 유산

나의 아버지는 1922년생이다. 아버지는 일제강점기에 소학교도 다니지 못해 공식적인 학력이 전혀 없는 분이었다. 그런데도 어려서부터 한자 옥편을 품고 다니며 독학으로 공부하고 유교 경전을 통독하셔서 결코 무식한 분은 아니었다. 오히려, 아버지와 대화를 해 본 사람들이 아버지의 박식함에 놀라곤 했던 기억이 있다. 아버지는 교육에 대한 남다른 열정이 있었고, 곤궁한 살림에도 자식들 교육만큼은 어떻게든 잘 시켜보려 애쓴 것을 안다. 틈만 나면 책을 읽던 모습이 자식들에겐 산 교육이 되었다. 사람은 배워야 한다며 귀에 딱지가 앉도록 강조하던 말씀과 몸소 책을 가까이 하던 모습이 아버지가 자식들에게 남겨준 유일한 유산이었다.

### 독학의 유전자

아버지와 12살 차이 띠동갑인 어머니는 19살 어린 나이에 시집와서 정말 고생이 많았다 한다. 할머니의 호된 시집살이는 말할 것도 없고, 결혼 당시 면서기를 하던 아버지는 어머니에게 생활비를 준 적이 없고, 집에 쌀이 있는지 없는지도 관심이 없었다고 하니 말이다.

그나마 면서기 자리도 자유당 정부 때 공무원 감원 대상에 올라 실업자가 됐다. 어머니는 어린 자식들을 데리고 밥 굶기를 정말 밥 먹듯 했다고, 지금도 틈만 나면 이 세상에 없는 아버지를 성토하신다. 아버지가 근무하던 곳의 면장이 부조리한 사람이어서, 뜻 맞는 동료 몇 명과 반항을 꾸몄었다 한다. 그것이 빌미가 돼 면장의 눈 밖에 나, 아버지는 결국 감원 대상이 되었다. 어머니는 자식들에게 절대 직장을 그만두는 게 아니라고, 강조하고 또 강조한다.

아버지는 면서기를 잘리고 실업자 생활하다 수리조합에 들어갔는데 40대 초반이 돼서 중병에 걸렸다. 당시에는 병원도 돈 있는 일부만 가던 시절이라, 제대로 된 병명 진단도 못 받고 돌아가실 뻔 했다. 고생 끝에 이제마 선생의 사상의학을 공부한 분을 만났고, 아버지는 기적적으로 건강을 회복했다. 다 운명이었던가 보다. 아버지는 한의학의 가치를 깨닫고, 한의학 서적을 구해 공부했다. 지금으로 치면 한약사 자격시험에도 독학으로 합격하였다. 그런데 여기에 문제가 있었다. 시험을 보기 위해서는 고등학교 졸업장이 필요했는데, 공식 학력이 없던 아버지는 두 살 어린 집안 조카의 졸업장을 빌려 시험을 봤던 것이다. 50여 년 전이나 되니 가능했던 일이다. 아쉬운 것은, 그 당시에도 검정고시가 있었으니, 공부해서 검정고시부터 합격했더라면 떳떳했을 텐데……. 아마도 그런 시험이 있는 줄 몰랐으리라.

### 돈은 내 팔자에 없는가보다

시험에 합격한 후 한약방을 할 수 있는 면허가 나왔다. 고향에서도 개업할 수 있었으나, 조카 이름으로 자격을 딴 아버지는 지인들의 눈을 피해 고향을 떠나 먼 타향으로 갈 수밖에 없었다. 아무 연고가 없는 여수의 바닷가 마을에서 처음 한약방을 열었으니, 제대로 영업이 되었겠는가. 영업을 방해하는 텃세도 있었고 연줄도 없었으니, 살림은 여전히 어려웠다. 어머니는 그때 가슴막염까지 앓아 식구들이 여러모로 고생이 많았다. 결국, 2년을 채 못 버틴 타향살이를 정리하고, 있는 돈 없는 돈 다 긁어모아 1972년 광주에 셋집을 얻어 올라왔다. 광주는 고향과 가까웠고 친척들도 많이 살고 있었다. 무엇보다 대도시였으므로, 텃세 걱정은 하지 않아도 됐던 것이 그나마 위안이라면 위안이었다. 요즘은 집주인들이 세입자 눈치를 보는 세상이 되었지만, 그때만 해도 집주인들의 위세는 대단했다. 우리 집은 거의 매년 셋집을 찾아 이사했던 것 같다. 바로 위의 형은 초등학교 졸업하기까지 무려 다섯 번을 전학했고, 나도 초등학교 4년 동안 한 번 전학했다.

광주로 이사한 후 우여곡절은 있었지만, 자식들 학교 보내고 밥은 겨우 먹고 살 정도가 되었다. 그런데, 1978년 말의 어느 날, 아버지는 자식들 다니던 학교를 다 그만두게 하고 한약방도 정리하여, 전주 모악산 중턱의 산골 마을로 이주하기로 결정하였다. 나중에 안 일이지만, 그 산골 마을은 소위 도사들이 많이 살던 곳이었다. 40대에 죽을 고비를 넘기고 늘 병약했던 아버지는 당시 예순을 바라보던 나이었고, 뭔가 인생의 돌파구가 필요했던 것 아니냐고 세월이 많이 지난 지금은 생각해본다.

어머니는 아버지 사주에 돈복이 없어서 그렇다고, 지금도 굳게 믿고 있다.

### 광주여, 안녕!

1979년 3월, 이삿짐 트럭에 짐을 싣고 광주를 떠난 우리 가족은 전주 모악산 자락으로 향했다. 당시 나는 초등학교 4년을 겨우 마쳤고, 위로 형들은 중학교 1학년, 고등학교 1학년, 누나들은 갓 고등학교를 졸업한 때였다. 큰형은 군대에 있었고. 세상에서 일어나는 나쁜 일에는 동전의 양면처럼 좋은 면도 있기 마련이다. 1979년에 우리가 광주를 떠나고, 한 해 뒤 1980년 5월 광주민주화운동이 있었다. 그 혼란 속에 고등학생이었을 형이나, 20대 초반이었던 누나들에게 무슨 일이 생겼을지 알겠는가. 덕분에 그 시기를 무사히 넘긴 것이라 위안으로 삼기도 했다. 이렇게 떠난 광주는 10년 후 지금의 아내가 광주지방법원에 발령을 받으면서 다시 인연을 맺게 된다.

## 산골소년, 지게 지고 낫질하고

"소년 시절을 갖는다는 것은
하나의 삶을 살기 전에
무수한 삶을 산다는 것을 말한다."
_릴케

### 뽕나무 베고 누에 키우던 산골생활

철없던 소년에게 산골생활은 한마디로 재미졌다. 그때만 해도 시골에는 젊은 사람도 제법 있었고, 또래 아이도 많았다. 겨울엔 올무를 만들어 토끼 잡으러 다니고, 여름엔 냇가에 가 고기 잡고 멱을 감았다. 숙제와 경쟁을 피할 수 없는 학교가 지겨웠던 열두 살 소년에게, 공부는 없고 놀 거리 많은 산골생활은 파라다이스 자체였다. 적어도 1년은.

정상이 해발 793m에 달하는 전주 모악산 중턱에 자리 잡은 산골 마을은 뽕나무가 많았다. 당시 60여만 원을 주고 산 산골 집에는 감나무와 약간의 텃밭이 딸려 있었고, 경작해서 벌어먹을 수 있는 유력 가문 문중 소유의 뽕밭이 2,000~3,000평 정도 있었다. 산골에서 얻을 수 있는 소득원은 그것이 전부였다. 산에 가서 나무 해다 때고, 텃밭 일궈 채소 갈아 먹고. 일 년에 두 번 봄 · 가을 누에 키워 쌀 팔아먹고. 그야말로 입에 풀칠만 하는 살림이었다. 아버지, 어머니 거처하는 작은 방이 있고, 큰 방에는 누나 둘과 형 둘, 나까지 다섯이 함께 잠을 잤다. 한겨울 아침에 일어나면 방안에 뒀던 물그릇에 얼음이 어는, 그런 산골 생활이 1년 지나고, 2년 지나고, 3년째에 접어들자 아버지는 말할 수 없는 초조함에 힘들어하였다. 앞길이 구만리 같은 자식들이 학교도 그만두고 산골에서 지게 지고 낫질이나 하고 있으니 얼마나 속이 상했겠는가.

나무해서 지게에 지고, 뽕나무 낫질해다 누에 키우던 산골생활은 나에게 어둡고 추운 겨울이었음이 분명하다. 하지만, 그 겨울을 어떻게 나느냐에 따라, 다음 해 봄과 여름은 축복이 되기도 하고 보릿고개의 재앙이 되기도 한다. 우리는 나무의 나이테를 통해 겨울에도 나무가 자란다는 사실을 안다. 그리고 겨울에 자란 부분이 여름에 자란 부분보다 더 단단하다는 사실도.

### 천자문이라도 외워라

산골생활 2년이 넘어가던 어느 날 아버지가 나를 불렀다. 서랍에서 낡은 천자문 책을 꺼내더니 한 달 안에 그걸 다 외우라는 것이었다. 큰형은 여섯 살 때 천자문을 뗐다면서. 이게 웬 청천벽력인가. 학교 다닐 때도 유난히 외우는 걸 싫어해서, 우등생이었던 내가 구구단을 못 외워 손바닥 맞고 방과 후에 남아 외우기까지 했는데, 천자문을 외우라니. '이걸 외워 어디다 써!' 속으로 불만은 가득했지만, 아버지가 무서워 말은 못하고 기어들어가는 목소리로 "네."하고 물러 나왔다. 하지만 뛰어다니며 노는데 정신 팔렸던 내가 천자문을 외웠겠는가. '하늘 천, 따 지, 검을 현, 누를 황, 집 우, 집 주, 넓을 홍, 거칠 황, 날 일, 달 월, 찰 영, 기울 측…….' 여기까지가 첫 장인데 두 번째 장으로 넘겨 '별 신, 잘 숙…

…’ 하면 하품이 나고 머리가 아파 더 외울 수가 없었다. 지금도 알고 있는 천자문은 ‘별 신, 잘 숙, 벌 렬, 베풀 장’까지가 다다. 마침내 한 달이 지나고 아버지가 다시 불렀다.

“천자문 다 외웠냐?”

“아니요.”

“다시 한 달을 줄 테니 그 때까지 다 외워라. 못 외우면 회초리 맞을 줄 알아.”

“네.”

시간은 흘렀고 내일이면 한 달이 되는 날, 걱정돼서 죽겠다. ‘어떡하지…….’ 고민에 고민을 거듭해도 답은 없고, 다음 날 날이 밝았다. 나는 일어나지 않기로 했다. 이럴 때 독감이라도 걸리면 얼마나 좋을까. ‘그래, 오늘 난 아픈 거야!’ 자기최면을 걸었다. 11시가 돼도 안 일어났다. 머리에 내 손을 얹어 보니 정말 열이 나는 것도 같고, 머리도 지끈거리고. ‘내가 정말 아픈 건가?’ 그러다가 점심때가 되어서야 겨우 일어나 밥을 먹었다. 아버지는 나의 고민을 아는지 모르는지, 별 얘기 없이 그 날은 무사히 넘어갔다. 한 사흘쯤 지났던가, 드디어 아버지가 부른다. ‘올 것이 왔구나!’ 이땐 나도 마음의 각오를 했다, 회초리를 맞기로. 아니나 다를까, 가서 회초리를 가져오란다. 뽕나무를 베어 잔뜩 쌓아 놓은 잠실로 가서, 일부러 제일 큰 아직 덜 마른 뽕나무 가지를 골랐다. 독자들은 잘 모르겠지만, 마르지 않은 뽕나무 가지는 절대 부러지지 않는다. 아버지는 딱 한 대 때리더니 멈췄다. 내 눈에선 하염없이 눈물이 흘렀다. 종아리가 아파서가 아니라 마음이 아파서. 어린 마음에도 아버지의 마음이 느껴졌다. ‘아버지가 천자문이 꼭 필요할거라 생각해서 외우라고 했겠는가! 초등학교도 못 나온 자식 면무식이라도 하게 할 요량이셨겠지.’

## 데일 카네기를 만나다

"난초 향은 하룻밤 잠을 깨우고, 좋은 스승은 평생의 잠을 깨운다."
_공자

### 인간관계의 기본을 배우다

산골에 겨울이 찾아오면 정말 할 일이 없다. 산골이라 해는 더 늦게 뜨고 더 일찍 지며, 스산하고 매서운 북서풍 겨울바람에 어디 나가 돌아다닐 곳도 없다. 그렇게 지겹던 학교를 떠나 한 해, 두 해 시간이 지나니 슬슬 책이 그리워지기 시작했다. 그러던 중 형들이 먼저 여섯 권짜리 데일 카네기 인생론 전집을 어디선가 찾아 읽기 시작했다. 나도 따라 읽었다. '바로 이거다!' 새로운 세상이 열리는 것 같았다. 세상 살아가는데 필요한 지혜는 그곳에 다 있는 것 같았다. 백여 년 전에 활동했던 사람이 쓴 책이라 등장인물과 에피소드는 낯설었지만, 정말 느끼고 배운 게 많았다. 공자와 맹자를 존경하고 자식들에게 공맹 사상을 설파하던 아버지의 가르침과 달리, 합리적이고 설득력이 있으면서 무엇보다 현실에 적용 가능한 실제적인 가르침이라는 생각이 들었다. 머리에 쏙쏙 들어왔다. 물론, 오십 줄에 접어든 지금은, 아버지가 공자님 말씀을 이해하고 가르치는 방식에 문제가 있었던 것이라 생각한다. 근래에는, 신영복 선생의 인문학 강의를 읽으면서, 공자님 가르침도 다시 새기고 있다. 데일 카네기의 책을 통해 정규 학교에 다니지 못한 우리 형제에게 그 여섯 권의 책은 정말 인생 멘토와 같은 역할을 했다.

아버지는 식사 시간이면 늘 소위 '밥상머리' 교육을 하였다. 공자와 맹자를 인용하였고, 옛 선현의 충효에 관한 이야기를 들려주며, 사람의 도리를 가르쳤다. 그땐 '아, 또 그 소리'하며 지겨워했지만, 알게 모르게 자식들 의식 속에 자리 잡아 삶의 지표가 되었을 것은 분명하다. 하지만 정규학교를 그만 둔 나에겐 사회성을 기를 기회가 없었고, 사람을 만나면 대화는 어떻게 해야 하는지, 사회생활은 어떻게 하는 것인지 모든 것이 어렵고 두렵기만 했다. 그때 데일 카네기의 인생론을 읽었고, 큰 감명을 받아 내 생각과 행동을 바꿔 나갔다. 카네기의 가르침은 8년의 학교 공백에도 불구하고, 내가 정상적인 사회생활을 할 수 있게 이끌어준 원동력이 되었다. 가르침 하나하나를 100% 실천하지는 못 하였지만, 늘 행동의 나침반이 되어 주었다.

### 아이들도 카네기를 만나다

먼 훗날, 우리 아이들이 중학교 다닐 나이가 됐을 무렵, 먼저 카네기스쿨을 다녔던 아내가  적극적으로 주장하여, 두 아이 모두 카네기스쿨의 청소년 과정을 이수하였다. 공무원인 아내는 중간 간부로서 리더의 자질을 키우는데 필요하다고 생각하여 카네기스쿨을 다녔고, 아이들에게 큰 도움이 될 거로 믿었다. 적지 않은 수강료였지만, 데일 카네기로부터 큰 가르침을 받았던 나도 흔쾌히 동의했다. 사실, 카네기에 관해서 나는 아내에게 한 마디도 한 적이 없었다. 그런데도, 카네기의 가르침에 아내가 감명 받고, 아이들까지 참여하게 하는 것을 보고 신기한 생각이 들었다. 나는 절박한 상황에서 카네기를 만났기에 자발적으로 가르침을 받아들였지만, 아이들 상황은 달랐다. 그래서 전문성이 없는 부모로서는 가르치기 힘든 내용을 전문강사의 지도를 통해 토론하고 발표하면서 배우는 게 낫다고 생각했다. 얄팍한 눈속임용 처세가 아닌 사람의 마음을 사로잡는 진정한 처세의 원리와 세상 사는데 필요한 귀중한 교훈들을 많이 배우기 바라면서.

아이들 키우면서 교과목 배우는 학원엔 그다지 투자하지 않았다. 미국에서 돌아온 후 다니던 학원도 1년여 만에 아이들 스스로 그만두었으니까. 대신, 인생을 사는데 필요한 지혜를 키우고 인성을 다듬을 기회는 많이 주려고 노력했다. 사회에서 성공하고, 행복한 삶을 사는데 훨씬 중요한 것들이니까.

## 검정고시, 재기의 발판

"소년을 엄격과 폭력으로 가르치려 하지 말라.
그의 흥미를 허용하여 지도하라.
그렇게 하면 자기의 능력이 어디로 향하고 있는지
소년 자신이 찾게 된다."
_플라톤

### 미로의 끝

산골 생활 3년 차이던 1981년 초여름 무렵, 둘째 형이 대입 검정고시 준비를 시작했다. 고등학교 1학년까지 마쳤고, 학교 다닐 때 전교 10등까지 뽑아 특별히 관리하던 SKY 대비반에 속했던 둘째 형은 서너 달 준비 끝에 대입 검정고시에 무난히 합격했다. 지금처럼 인터넷 강의가 있던 시절도 아니고, 산골 마을에서 헌책 말고는 도움 받을 수단이 전혀 없었으니, 순수한 독학이었다. 둘째 형의 검정고시 합격은 아버지에게는 큰 위안이었고, 나에게는 다시 공부를 시작하게 만든 자극제였다. 그해 11월 경, 동네에 살던 중학교에 다니는 또래 집에 놀러 갔다가 헛간에 쌓여 있는 헌 책들을 보았고, 그 댁 아주머니에게 부탁하여 책 몇 권을 얻어왔다. 중학교 1학년 수학 교과서와 과학 교과서, 그리고 중1 영어 완전정복이었다. 비록, 헌책이었지만, 나는 중학생이라도 된 것처럼 가슴이 뛰었다. 영어책은 암호 같은 꼬부랑 글씨였으며, 수학책은 낯선 기호로 가득 차 있었지만, 두려움보다는 미로의 출구를 찾은 듯 기뻤다.

초등학교를 중퇴했는데 중학교 교과서를 먼저 공부한 것은 초등학교 졸업 학력 검정고시가 있는 줄 몰라서였다. 대입 검정고시나 고입 검정고시는 들어 봤는데 중입 검정고시라니……. 나 같은 특수한 경우가 아니라면, 초등학교를 졸업 못 한 사람은 없을 줄 알았고, 그래서 중입 검정고시가 있으리라고는 생각도 못 했던 것이다, 초등학교는 의무교육이니까. 어쨌든 공부는 시작했고, 중학교 과정을 공부하는데 가장 큰 장애는 영어였다. 둘째 형으로부터 알파벳을 처음 배웠고, 중1 영어 완전정복의 Lesson One을 배웠다. 이후부터는 순전히 나의 독학이었다. 너무 어려웠다, 영어. a, b, c, d……. 알파벳을 먼저 배우고 문장을 익혔다.

"I am Tom."

"I am a student."

"I am a boy. You are a girl."

이걸 배우고 나머진 독학했으니, 단어 외우는 것도 너무 어려웠고, 문법은 이해가 안됐다. 무엇보다 영어학습의 요체는 반복이지 않은가. 이해도 안 되는 것을 아무런 통제나 지도 없이 스스로 알아서 규칙적으로 반복 학습 한다는 것, 그것이 너무 어려웠다. 수학? 수학은 오히려 할 만했다. 한참 재미를 붙인 날은 하루에 한 학년 수학 교과서를 다 떼기도 했다. 다음 날 다시 보니 초기화 되어 완전히 새롭기는 했으나…….

그 당시, 공부에 회의가 들고 자신감이 떨어질 때마다 자기암시의 '주문'을 만들어 외웠다. 데일 카네기 이후 노만 빈센트 필이나 나폴레온 힐 같은 사람들의 책을 읽으며 배운 방법이었다. '나는 할 수 있다. 나는 성공한다. 간절히 원하면 이루어진다. 노력만이 살 길이다.'와 같은 문구였다. 끊임없이 되뇌었다. 유치하지만 분명 효과는 있었다. 부정적인 생각과 잡념을 떨치고, 집중하는데 도움이 됐다.

근래 노력의 가치를 깎아내리는 시류도 있는 듯하다. 내가 안 되는 것은 노력 부족 탓이 아니라 사회적인 문제라고. 그러나 사회의 구조적 문제가 해결된다 해도, 계획을 세우고 전심전력을 다해 실행하는 것이야 말로 모든 일의 궁극적 성공 조건이다. 초등학교 4년 중퇴의 학력으로 공부를 다시 시작하여 검정고시를 준비하던 그 시절, 내가 그랬던 것처럼. 당시 내가 몇 년 지난 헌 교과서 몇 권이 전부인 학습 환경을 탓하기만 했다면, 지금쯤 산골에서 약초를 캐며 홀로 늙어가고 있을 것이다.

### 초졸이 되다

해가 바뀌어 1982년. 새로운 것을 배우는 즐거움에 시간 가는 줄 모른 던 중 4월 초가 되었다. 그러던 어느 날 둘째 형이 초등학교 졸업학력 검정고시가 있다는 소식을 전했다. 뛸 듯이 기뻤다. 초등학교 졸업장 없이는 고입 검정고시도 치를 수 없다는 것을 알고 있었다. 당시 초등학교 교장이던 당숙에게 부탁해서 어떻게 졸업장을 받을 방법이 없나 고민하던 중이었기에, 중입 검정고시가 있다는 소식은 희소식이 아닐 수 없었다. 둘째 형의 대입 검정고시 합격 후 아버지는 서울에 있던 셋째 형을 불러 내렸다.

"검정고시를 보면 된다. 셋째도 공부를 시켜야겠다."

셋째 형은 중학교 1학년 중퇴 후 산골 생활을 하다, 아무런 비전도 없고 벌어먹을 것도 없는 산골 생활을 뒤로하고 무작정 상경하였다. 어려서부터 바둑을 잘 뒀던 셋째 형은 식당에서 그릇을 닦으며 숙식을 해결하고, 한국기원 연구생

생활을 겸했다. 일본에서 활약하는 조선진 9단, 우리나라 일인자였던 이창호 9단 등이 후배 연구생이었다. 셋째 형도 제대로 뒷바라지만 해줬다면, 프로기사가 되어 큰 활약을 했을 것이다. 어쨌든, 서울 물을 먹어 지리를 아는 셋째 형과 함께 생전 처음 서울로 가서 중입 검정고시 원서를 접수했다. 시험날짜는 6월 13일이었고, 발표는 6월 25일이었던 걸로 기억한다. 그 당시, 중입 검정고시는 서울특별시교육청에서만 1년에 한 번 시행하고 있었고, 4월에 접수해서 6월에 시험을 치렀다. 중입 검정고시를 접수하고, 시험 준비를 위해 5, 6학년 전과를 구했다. 시험공부는 3주 정도 했고, 수학에 특히 시간을 많이 할애하였다. 다른 과목은 찍기라도 하겠지만, 수학은 그냥 찍는 게 의미가 없는 과목이니까. 그해 중입 검정고시는 서울 강남고속버스터미널 근처 반포중학교에서 치러졌다. 나는 시험장에 가서 깜짝 놀랐다. 응시자가 무려 1,300여 명이나 되는 게 아닌가. 숫자보다 더 놀라운 것은 내 또래 아니면 좀 위의 젊은 응시자가 많았다는 사실이었다. 스님이나 수녀님도 있었고, 나이든 아저씨, 아주머니도 많았다. '초등학교는 의무교육인데 초등학교 못 나온 사람이 이렇게 많다니!' 긴장 속에 시험은 시작됐고, 시험과목은 도덕, 국어, 산수, 사회, 과학, 음악, 미술, 실과까지 학교에서 배우는 모든 과목이었다. 끝 종이 울릴 때는 합격을 예감했다. 나중에 확인한 것이지만, 성적은 평균 92점이었다.

예전과 달리 지금은 검정고시에 한 번 합격해도 반복해서 볼 수 있어서 소위 '점수 세탁'도 가능하고, 시험수준도 높아졌다고 한다. 응시자의 구성도 가정형편이 어려워서 보는 아이들은 줄고, 대안학교 등 정규학교 대신 대학 가는 우회로로 선택한 아이들이 많아졌을 것이다.

내친김에 중졸

1982년도 중입 검정고시 합격자는 6월 25일에 발표했다. 예상하긴 했지만, 전화로 합격을 확인하니 말 할 수 없이 기뻤고, 슬그머니 욕심이 생겼다. 그 날이 8월에 치르는 고입 검정고시 접수 마감일이었던 것이다. 셋째 형이 새벽 첫차로 서울에 가서 합격증을 찾아 전주로 내려왔고, 오후 4시경 전라북도교육청에 늦지 않게 시험을 접수할 수 있었다. '이제부터 시작이다!' 시험은 8월 22일이니 약 두 달 남았다. 각오를 새롭게 다졌다. 중입 검정고시 합격의 여세를 몰아 의욕은 넘쳤으나, 막상 시험 준비를 하려니 막막했다. 가장 큰 벽은 수학과 영어인데, 중1 수준의 수학과 영어도 완전히 이해하지 못했으니 어떻게 한단 말인가. 그래서 고민 끝에 꾀를 냈다. 서점에 가서 보니 고입 연합고사 대비 전 과목 문제집이 있지 않은가. 과목별로 단원마다 핵심요약 정리와 문제가 실려 있었다. '시간은 부족하고, 떨어져도 좋으니 이거라도 제대로 공부하고 가자!'

핵심만 요약돼 있으니 과목당 분량은 얼마 되지 않았으나, 이해는 쉽지 않았다. 올바른 공부방법이 아닌 것도 알았다. 기본 교과서와 참고서부터 차근차근 공부하고, 연습문제 많이 풀고, 마지막에 핵심요약으로 정리하고 암기하는 것이 바른길이라는 것을 왜 몰랐겠는가. 시간이 없으니 효율적인 방법을 찾아야 했고, 그 시험에서는 매우 유용했다. 핵심요약은 한 줄 한 줄이 많은 내용을 함축하고 있기 때문에 단어 하나하나에 유의하면서 논리적으로 추론해 가며 내용을 거꾸로 그려가야 했다. 확인문제를 통해서 내가 제대로 이해했는지 검증해 가면서. 지금 생각해 보면, 이런 방식의 학습으로 내 사고력이 크게 향상됐고, 혼자서 학습할 수 있을 만큼 뇌 근육이 강화됐던 것 같다.

8월 22일 한 여름에 당시 진북동에 있던 전주서중학교에서 시험을 치렀다.

확신은 없었으나, 영어, 수학 과락만 면한다면 합격을 기대할 수 있지 않을까 생각했다. 한 달여 기다림 끝에 합격자 발표일, 전라북도교육청에 가서 게시판을 찬찬히 훑어 내려갔다. '아! 합격…….' 초등학교 졸업한지 두 달 만에 중학교 졸업이라니, 꿈만 같았다. 짧은 기간 준비한 시험인데 성적이 어떨지 궁금해서 교육청 민원실에 들어가 성적을 열람했다. 결과는 평균 71점. 영어 48점, 수학 45점으로 정말 아슬아슬 했다. 면 과락!

이 기쁜 소식을 부모님께 알리려 산골마을로 향하는 버스에 올랐다. 1시간여 버스를 타고 가는 동안 만감이 교차했다. '혼자 공부하는 건 너무 힘들어. 이번 시험 붙으면 고등학교에 가야지.' 시험 전엔 이렇게 생각했었는데, 합격하고 나니 마음이 달라졌다. '고등학교 가면 돈도 있어야 하고, 전주로 나오면 있을 곳도 없고, 단체생활도 자신이 없고…….' 생각이 복잡해졌다. 그래도 그 날은 참 행복했다. 버스 타고 가는데 1시간, 걸어서 산 중턱을 오르는데 또 1시간, 두 시간여 만에 산골 마을에 도착해서 부모님에게 합격 소식을 알렸다. "잘 했다." 한 마디 뿐이었지만 나는 안다. 아버지와 어머니는 밤새 내 얘기로 희망을 꿈꾸며, 기뻐했을 것이다.

## 건너뛰고 대학가자

"불행 중 다행으로 인생은 단 한 번이다.
이생이 아닌 일생이므로, 그 한 번을 사는 것처럼 살아야 한다."
_아르튀르 랭보

### 계속된 도전

두 번의 검정고시 연속 합격으로 한껏 사기가 오른 나는 내친김에 대입 검정고시까지 보기로 했다. 당시 전주에서 가장 큰 서점이었던 민중서관에 가서 대입학력고사 대비용 요약정리 문제집을 샀다. 다시 헌책방에 들러 참고가 될 만한 책을 몇 권 더 샀다. 무엇이든 할 수 있을 것 같은 의욕이 넘쳤으나, 대입 검정고시 준비는 고입과는 차원이 다른 문제였다. 수학, 영어는 그렇다 치고 국어가 너무 어려웠다. 어찌된 것이 영어보다 국어가 훨씬 어려워 보였다. 게다가 고문(古文)까지. 이건 또 하나의 외국어였다. 한문도 공부해야 했고, 과학과목들은 또 얼마나 어려웠던지. 그 뿐인가 국사나 세계사는 또 어떻고. 가장 쉽다는 국민윤리도 소크라테스, 아리스토텔레스, 플라톤 같은 그리스 철학자

이름이 나오면 머리가 지끈거렸다. 그 말이 그 말 같아 도무지 이해할 수도 없었다.

이 무렵 형제 중 일부와 나는 산골 마을에서 나와 전주교대 인근 싼 집에 세를 얻어 이사하였다. 큰형이 군무원으로 일하고 있었고, 작은누나도 작은 수입이지만 일을 시작했다. 나이가 어려 마땅한 일자리를 구하기도 어려웠던 나는 일단 대입 검정고시 합격을 목표로 독학을 계속했다. 독학하면서 가장 어려웠던 것은 학과목의 이해가 안 되는 것보다 고독과 싸우는 것이었다. 그리고 나 자신에 대한 불신이었다. 세상과 단절된 채 혼자 있다는 것, 그것만으로도 나에겐 공포였다. 책을 보면서도 지금처럼 하면 내가 목표한 지점에 도달할 수 있을 것인지 끊임없이 회의가 들었다. 나 자신을 믿을 수 없어 고통스러웠다. 실제 책을 본 시간보다 잡념과 자기 불신에 괴로워했던 시간이 훨씬 길지도 모른다. 그러던 중 1983년 2월 전주 시내 야학에서 학생을 모집하는 공고를 봤다. '와! 이거다.' 야학은 전주 YMCA에서 장소를 빌려주고 후원하였으며, 전주 시내 대학생들이 교사로 참여하며 운영하는 곳이었다. 그곳엔 나처럼 어려운 처지에서도 배움에 대한 열의로 가득 찬 젊은이가 많았다. 저녁 짧은 시간에 양질의 수업을 기대하기는 어려웠다. 초등학교 4학년을 중퇴한 후, 4년 만에 처음 학교 같은 환경에서 어울려 공부하고 과외 활동을 하는 것 자체가 즐겁고 위안이 되니, 정서안정에 도움 되는 일이었다. 당시 교사로 참여했던 분들은 대학 신입생부터 2학년, 3학년 학생이었다. 사실, 자기 공부하고 여가에 노는 것만으로도 바쁠 시기인데, 시간과 돈을 들여 어려운 처지의 청소년을 위해 봉사한다는 것은 정말 가상한 일이다. 예쁜 마음을 가진 분들이니 모두 성공해서 행복하게 살고 있으리라 생각한다.

### 검정고시 끝판왕

야학 진도와는 관계없이 나는 내 나름대로 대입 검정고시 준비를 해 나갔고, 1983년 4월 시험에 응시했다. 역시, 관건은 영어와 수학. 몇 문제는 풀고 대부분은 찍고. '휴, 이번은 안 되겠다. 역시 공부가 너무 부족했어.' 시험이 끝나고 8월 시험이나 준비해야지 마음먹었다. 시간은 흘러 6월에 합격자 발표가 났다. 떨리는 마음으로 도 교육청 게시판으로 향했다. 명단을 보니, 혹시나? 역시나! 내 이름이 없다. 검정고시는 과목합격 제도가 있어서 60점을 넘은 과목은 다음 시험부터 면제다. 몇 과목이나 붙었나 궁금해서 성적 열람을 해봤다. 결과는, 아뿔싸! 평균은 75점인데 수학 35점, 영어 56점. 수학 한 문제 차이 과락으로 낙방. 아까웠다. 그래도 다음엔 두 과목만 보면 되니 어딘가. 위안으로 삼고 산골마을로 가서 부모님께 알렸다. 아버지가 웃었다. 크게 기대는 안 하셨던가보다. 그래도 아깝게 떨어졌으니, 다음은 합격하겠지 믿는 눈치였다.

8월 시험을 위해 영어와 수학에 집중했다. 두 과목만 공부해도 되니 어깨가 가벼웠다. 공부를 설렁설렁했는데도, 당시 교육청 인근에 있던 전주중앙여중(지금은 중앙중)에서 치러진 8월 시험에서는 두 과목 모두 75점(수학)과 76점(영어)으로 무난히 합격했다. 마지막 검정고시를 치를 때, 같은 교실에서 시험을 보던 수험생이 접근해 왔다. 은근한 말투로 대가를 제공할 테니 수학시험 답안지를 보여 달라는 것이었다. '내가 공부 잘하게 생겼나?' 잠시 우쭐. 보답은 됐다. 적극적으로 보여주진 못하니, 알아서 보라고 했다. 내 왼쪽 줄 뒷자리에 앉았던 그 수험생은 시험에 합격했다. 그 사람을 합격자 발표 때 만났는데, 나를 모른 척 외면했다. 셋째 형이 시험 볼 때는, 구치소에 있다 나왔다며 협박조로 보여 달라고 하던 수험생도 있었다고 한다.

합격자 발표 후, 때는 이미 10월이었고, 11월 대입학력고사까지는 두 달도 남지 않았다. 너무 촉박했지만, 일단 응시하기로 했다. 공부가 너무 부족해서 경험삼아 보는 것 이상의 의미는 두기 어려웠다. 4월 시험에 합격했으면 달라졌을 텐데. 아쉽긴 했지만, 그 동안 내가 이룬 성취에 스스로 만족했다. 1년 전엔 초등학교 4학년 중퇴 학력이었다. 학원이나 그 누구의 도움도 없이, 중입 검정고시 합격부터 14개월 만에 대입 검정고시까지 합격했으니, 장하다는 생각이 들었다. 열여섯, 만 15세에 대입 검정고시에 합격했는데, 명색이 고졸이라고 부모님이 구두도 사주고 스무 살처럼 대접해줘서 어른이 된 듯 우쭐했다. 이렇게 해서 나는 고시 3관왕이 되었다.

'검정고시 3관왕!'

내 인생은 오직 내 책임

하버드대를 나와 미국 심리학의 아버지이자 당대 최고의 석학이었던 윌리엄 제임스에 관한 일화가 있다. 그의 동생들은 일찍이 세계적인 소설가가 되거나 훌륭한 작가로 성공했다. 제임스도 부모 배경으로 하버드대는 나왔으나, 서른이 다 되도록 건강이 나빠 아무것도 해놓은 것이 없었다. 그러던 어느 날 그는 결심했다. 그날부터 1년 동안 '내 삶에서 일어나는 일은 무엇이든 100% 내 책임'이라는 믿음으로 살아보고, 그래도 나아지지 않으면 그때 목숨을 끊기로. 그 후 제임스는 하버드대학교 교수가 되었고, 미국과 유럽 전역을 돌며 강연을 하게 됐다. 인생관을 바꾸고 당대 가장 영향력 있는 지식인이자 철학자, 심리학자로 성공한 것이다.

십대 때 내가 이런 일화를 알았을 리 없다. 내 삶에서 일어나는 일이 100% 내 책임이라는 거창한 생각도 그때는 없었다. 다만, 부모 탓, 환경 탓 같은 건 한 번도 하지 않았다. 내가 처한 환경이 어떻건 내 인생은 나 하기 나름이라고 생각했다. 검정고시 준비할 때는 이런 생각도 했었다. 부잣집 아이들의 성공보다는 뭐가 찢어지게 가난한 집 출신이 이룬 성공이야말로 값진 것이라고. 나도 그렇게 멋지게 성공하겠노라 다짐했었다. 어려운 환경이 나에겐 오히려 노력의 원동력이 되었던 것 같다. 부모를 원망하고, 환경을 탓했던들 나에게 무슨 도움이 되었겠는가. '내 인생은 오직 내 책임이다.' 그리고 '나는 할 수 있다.'고 굳게 믿었다.

## 물리학자를 꿈꾸다

"실험실에서의 위대한 과학자의 생애는
많은 사람들이 상상하는 것과 같은 손쉬운 목가적인 것이 아니다.
그것은 물체와 주위와 특히 자신과의 집요한 싸움인 것이다."
_퀴리 부인

### 퀴리 부인에 꽂히다

산골 마을에 살면서 지게지고 낫질 하던 시절, 골방에서 퀴리 부인 전기를 찾아 읽었다. 두세 번 거듭 읽었을 것이다. 마리아 스클로도프스카. 폴란드인인 그녀의 결혼 전 이름이다. 열 살 때 어머니를 일찍 여의고 아버지는 실직하였다. 17세 무렵부터 가정교사 등을 하면서 독학했고, 역경을 이겨내 마침내 노벨상을 두 번 받아 세계적인 과학자가 된 퀴리 부인. 나에게 영감을 주기에 충분한 인물이었다. '더 열심히 공부해서 훌륭한 과학자가 돼야지!'

나는 어려서부터 과학에 관심이 많았다. 정규 학교를 다니며 공부했다면 지금쯤 과학자가 돼 있을지도 모르겠다. 아인슈타인 전기도 열심히 읽었고, 칼 세이건의 '코스모스'는 두세 번 반복해서 읽었다. 무슨 뜻인지 다 이해하진 못했어도, 영감을 얻고 꿈을 꾸기엔 충분했다. 고입 검정고시에 합격한 후, 경기

과학고등학교에 입학 문의 편지를 보냈던 기억이 난다. 당연히 아무런 답장을 받지 못했다.

대입 검정고시에 합격한 다음 진로를 고민했다. 어려서부터 꿈이었던 물리학자가 될까 생각했고, 실제 1984학년도에 물리학과 지원을 했었다. 물론, 결과는 낙방이었고, 지금 생각하기엔 다행스러운 일이었다. '내 머리에 물리학이라니…….'

과거 대입학력고사 이과 전국 수석이면 당연히 서울대 물리학과에 진학하던 때가 있었다. 그때 의대가 아닌 물리학과를 지원했던 우리나라의 수재들이 지금까지 과학과 산업발전을 이끈 주역들이다. 요즘은 물리학이나 수학을 전공한 이공계 인재들이 대학 졸업 후 MBA를 마치고 금융 산업 쪽에서도 활약을 많이 한다. 로스쿨을 나오거나 변리사 시험을 거쳐 특허 관련 법률 전문가로서 산업 발전에 기여할 수도 있다. 대학 진학 시 당장의 취업만을 고려한 근시안적 시각으로 진로를 결정할 일은 아닌 것 같다. 인재들이 이공계에 진학해서 공학이나 과학 쪽 배경 지식을 갖춘 후 다양한 진로를 다시 고민해도 늦지 않는다. 오히려, 더 보람 있게 일할 수 있는 다양한 진로가 기다리고 있다.

## 꿈은 꿈으로 남기고

첫 해 물리학과 낙방으로 나는 현실적인 진로를 다시 고민해야 했고, 결국 취업 면에서 유리한 법대 진학을 결심했다. 과학자의 꿈은 꿈으로만 남겨둔 채 말이다. 옛날 아버지들이 다 그랬던 것처럼 내 아버지도 자식들 판 · 검사 만드는 것이 소원이었다. 아버지의 바람이 무의식에 잠재돼 있다 법대 진학 결심에 영향을 미쳤음은 물론이다. 그러나 아버지는 내가 대학가는 모습을 보지 못하고, 1984년 9월 29일 직장암으로 돌아가시고 만다. 중년부터 아버지는 어디 외출할 때면 항상 화장실을 두 번 세 번 드나들었다. 직장암 진단을 받기 전에는 증상이 심해졌고, 치질인가 싶어 치질 치료를 잘 한다는 사람을 부르기도 했다. 옛날 분들이 대개 그렇지만 양의학에 대한 막연한 적대감과 불신, 그리고 경제적 사정 때문에 병원을 멀리한 결과 암 진단이 너무 늦었던 것이다. 수술하려 개복했지만, 정작 수술은 못 하고 그냥 닫고 말았다. 전이가 너무 많이 돼서, 수술을 할 수 없었다. 집으로 그냥 돌아왔고, 7개월여 투병하다 집에서 돌아가셨다.

검사과정이 너무 싫고 괴롭지만, 가족력 때문에 나는 2년에 한 번 대장 내시경 검사는 꼭 받고 있다. 건강은 나와 내 가족의 행복을 담보하는 필수 자산이기에 관리를 게을리할 수가 없다. 옛날 분들 내 몸 돌보지 않고 뼈 빠지게 가족을 위해 일했다는 무용담은 더는 찬양할 것이 못 된다. 가족을 사랑한다면 그래선 안 된다. 특히, 나이가 들면 병원과 친해져야 한다. 내 장인도 고혈압으로 쓰러져, 두어 달 병원에 누워있다 돌아가셨다. 평소, 고혈압이 있어 병원에서 처방해준 혈압약이 있었는데도, 무시하고 민간요법에 의존하다 그렇게 됐다. 어머니도 병원 기피증이 심하지만, 내가 모시고 살면서부터는 반강제로 병원에 모시고 간다. 피부에 종기가 생기거나, 감기, 독감에 걸리면 곧바로 병원부터 가자고 한다. 2년에 한 번 하는 국가 지원 검진도 모시고 간다. 그때마다 어머니는 죽을병도 아닌데 병원에 왜 가냐고 떼쓰지만, 나는 양보하지 않는다. 작은 병을 큰 병 만들어 자식들 고생시키지 말고, 얼른 병원 가자고 손을 잡아끌어 차에 태운다. 어머니를 설득할 때 가장 효과적인 말은 '자식들 고생시킨다.'이다.

# CHAPTER II
# 젊은 날의 도전과 실패

## 17세 소년, 법대생 되다

"태산에 부딪혀 넘어지는 사람은 없다.
사람을 넘어지게 하는 것은 작은 흙무더기다."
_한비자

### 그래도 배움에 희망이 있다

1984년 9월 아버지가 돌아가시고 어머니는 본격적으로 생활전선에 뛰어들었다. 새벽 5시면 일어나 밥해 놓고 인력시장으로 가서 식당일을 했다. 식당주인이 요청하면 몇 달씩 같은 곳에서 일하기도 했다. 한 달 일하면 15만 원 벌이, 그게 우리 집 수입의 전부였다. 큰형과 누나 둘은 결혼을 했고, 위의 두 형은 단기사병으로 군 복무를 마치고 진로를 고민했다. 어머니 혼자 고생하는 걸 봐서는 몇 푼 벌이라도 할 수 있는 취업을 선택해야 했다. 하지만 중졸, 고졸인 형들이 할 수 있는 일은 제한적이었다. 밝은 미래도 보장할 수 없었기에, 길게 보고 진학을 선택했다. 나는 당시 열일곱 살, 9급 공무원 시험조차 볼 수 없는 나이여서 달리 선택의 여지가 없었다. 당장은 곤궁해도 일단 법대에 가기로 했다. 하루빨리 대학 나와서 돈을 벌어야겠다는 일념밖에 없었다. 재수, 삼수라도 해서 서울 소재 명문대학에 진학하는 건 애초 고려 대상이 아니었다. 둘째 형은 군 복무를 마치고, 9급 공무원 시험에 합격해서 1년 남짓 우체국 근무를 했다. 셋째 형은 서울 생활을 접고 내려와서 고입 검정고시에 합격한 후, 대입 검정고시 준비를 하다 군대에 갔다. 셋째 형도 단기사병 복무를 마치고, 대입 검정고시에 합격했다. 두 형은 모두 나보다 2년 후에 대학에 진학했다. 특히, 둘째 형은 진학 선택 시 고민이 많았을 것이다. 집안 소득도 없는데, 다니던 우체국을 그만두고 대학에 가는 것이었으니.

여러 날 고민은 계속됐으나, 답은 없었다. 결국 결론은 어머니가 내주셨다. 어머니가 생활비는 벌 수 있으니, 자식들은 공부해서 성공하기를 바랐다. 우리는 장학금으로 학비는 해결하고, 그래도 부족하면 학자금 융자를 받아 어떻게든 다니기로 했다. 객관적 시각으로 보면 무척 무모했을 대학진학 결정이었다. 월 15만 원의 수입으로 네 식구가 먹고살며, 세 명이 대학을 다닌다니. 우리 삼형제의 각오는 더 단단할 수밖에 없었다.

둘째 형은 대학 진학 후 4년 동안 한 번도 수석을 놓치지 않았다. 장학금을 못 받으면 학교를 더 다닐 수 없는 상황이었으니, 달리 선택의 여지도 없었다. 형은 법대를 수석으로 졸업하고, 외교영사직에 합격했다. 평소 자랑 같은 건 일절 안 하는 어머니가 자랑할 만큼 기쁜 일이었다. 형은 지금도 외교 일선에서 일하고 있다. 공부 머리가 좋았던 둘째 형이 제대로 학교를 다녔다면, 아마 법관이 됐을 것이다. 성품이 딱 법관 체질이니까. 셋째 형은 나의 과 2년 후배가 되었다. 형 역시 중 · 고등학교를 건너뛰고 대학을 갔으니, 많은 혼란과 어려움이 있었을 것이다. 곡절은 있었으나, 어쨌든 잘 극복해냈다. 고시 공부 한다고 대학원까지 진학하면서 공부 기간이 길어졌다. 결혼도 늦어져, 어머니가 많이 걱정했다. 지금은 결혼하여 아들, 딸 셋을 낳고, 법원 공무원으로 성실히 근무하고 있다. 비록, 프로기사의 꿈은 이루지 못했으나, 아마추어 최고수급으로서 직장 내외에 바둑 실력도 뽐내면서.

1984년 2월에 아버지가 수술을 받으려 개복했다 다시 덮고, 9월에 돌아가시기까지 집안 분위기는 무겁고 우울했다. 어머니는 병구완에 최선을 다했다. 우리 모두 아버지의 회복 가능성이 없다는 것을 알고 있었기에, 어수선한 가운데도 담담히 각자 할 일을 하며 지냈다. 9월 말 아버지는 끝내 나의 대학 진학을 보지 못하고 돌아가셨다.

나는 11월 23일 대입학력고사를 치렀다. 학력고사를 보러 가던 날 아침 어머니는 여느 때처럼 새벽같이 일하러 나갔고, 누구에게서도 찹쌀떡이나 엿 한 가락 받지 못했다. 시험장에서도 나를 위한 요란한 응원 같은 건 없었다. '뭐, 내 처지가 남들과는 다르니까. 까짓것 괜찮아.' 애써 담담한 마음으로 스스로 위로했다. 시험이 시작되었다. 아는 건 아는 대로 모르는 건 모르는 대로, 어차피 서울 소재 명문대학 갈 거 아니니까. 편한 마음으로 치렀다.

### 법대생이 되다

대학 선택 기준은 간단했다. 서울이나 다른 지역은 돈 때문에 어차피 못가니 지역에서 학비가 가장 싼 국립대학으로, 전공은 고시 공부나 공무원 시험에 유리한 법학과로 정했다. 초중고등학교를 건너뛰고 또래보다 일찍 시작한 대학 생활은 혼돈 그 자체였다. 학교 시스템 자체가 너무 낯설었고, 법대 가면 다시 볼 일 없을 것 같았던 수학이 교양필수 과목이었으며, 전산학도 공부해야 했다. 가용한 용돈이 없었으니, 대학 신입생이면 누구나 해보는 미팅, 당구, 호프집 같은 건 꿈도 꾸지 못했다. 학업 부담만으로도 너무 벅차 놀 시간도 없었지만. '내가 부족한 게 참 많구나. 더 노력해야겠다!'

입학식이 끝난 그 주에 학교에서 IQ 테스트를 했다. 난생처음 받아본 테스트였는데 뭐가 뭔지도 모른 채 산수 문제 같은 것을 풀었다. 나중에 결과를 알려줬는데 내 IQ가 108이란다. 평균치 내지는 평균보다 살짝 높다나 그랬다. 동기 중 하나는 고등학교 때 IQ가 140이었다는데 이번엔 98이라 했다. '거참, 이 테스트를 믿어야 하나 말아야 하나?' 요즘은 IQ 테스트도 미리 준비해서 본다던데 이래서야 정확한 지능지수 측정이 되겠는가. 큰형 IQ도 140 언저리였으니 좀 실망스럽긴 했다. 학업성적과 IQ의 상관관계는 예전부터 많이 연구되었다. 대체로, 그 상관계수는 평균 0.5~0.6 정도로 뚜렷한 양의 상관관계가 있다 한다. 이는 IQ에 의한 영향이 약 25~30% 정도로 학업에 미치는 단일 요인으로서는 가장 크다는 뜻이란다. 나머지 70%가량은 IQ로 설명할 수 없는 요소에 의한 것이라고 하니, 나 같은 범재에게는 얼마나 다행스러운 일인가.

'정규학교에 다니며 두뇌계발이 정상적으로 됐다면 IQ가 좀 더 높았으려나?'

'어쨌든 내 IQ가 보통 수준이라는 걸 알았으니 취직도 하고 어머니께 효도도 하고 살려면 남보다 더 노력해야겠다!'

신입생 때 배운 과목 중에 가장 기억나는 것은 단연 법학개론이었다. 법의 이념이 정의, 합목적성, 법적 안정성의 추구라는 것도 그때 처음 배웠다. 법서를 읽을 때면 두고두고 반복해서 되새기게 되는 법학의 대명제였고, 예상대로 중간고사 문제로도 나왔었다. 법대에서 치르는 거의 모든 전공 시험은 논술식 시험이다. 이때부터 4년간 논술식 시험을 치르며 훈련한 덕에 훗날 보고서 쓰기, 미국 변호사 시험, 각종 국가전문자격 시험 때 수월하였다.

아직 본격적인 법 과목을 배우진 않았지만, 법학개론을 배우면서 법대생이 되었다는 뿌듯함을 느꼈다. 1학기는 적응하느라 정신 못 차린 사이 지나갔고, 2학기부터는 본격적인 법학 강의가 시작됐다. 헌법, 민법총칙, 형법총론 등 기본 3 법이라 불리는 가장 중요한 과목을 배웠다. 교양과목으로는 경제학 개론과 사회학 개론을 수강했다. 당시, 사법시험 1차에는 경제학이 필수 과목이었으므로 훗날 사법시험 1차를 대비해서 열심히 들었다. 돌이켜 보면, 시험과 관계없이 이때 경제학을 배운 것은 정말 다행이었다고 생각한다.

'경제학을 배우지 않았다면 사회, 경제 현상을 어떻게 이해하고, 경제신문인들 제대로 읽을 수 있었을까?' 여러 번 자문해 봤다. 취업시험이나 자격시험에도 경제학은 빠지지 않는 단골이다. 이때 공부로 경제학은 두고두고 나에게 고득점 전략 과목이 되어주었다.

시간이 흐르자 초중고등학교를 건너 뛴 어린 신입생도 점차 대학생활에 적응했고, 2학기 땐 성적이 많이 올라서 마침내 장학금도 타게 되었다. '당장 푼돈 번다고 아르바이트해봐야 공부도 제대로 못 하고, 나중에 취직도 어렵게 되지. 이렇게 열심히 공부해서 실력도 쌓고, 장학금 받는 게 최선이야!' 이렇게 내 선택을 정당화하면서, 아니 정당한 것으로 만들어 가면서 대학생활 첫 1년을 마쳐갔다.

## 반쪽을 만나다

"행복하려면 무엇보다도 자기에게 어울리는 짝을 찾아라."
_탈무드

시절인연

1학년 2학기가 시작되고 얼마 지나지 않은 9월 하순 어느 날 오후였다. 수업이 있어서 강의실 맨 앞자리에 앉아 있었는데 댓 명 정도 되는 학생들이 들어왔다. 2학년 선배들로 동아리 후배를 모집하기 위해 1학년 강의실을 찾은 것이었다. 그 때 선배들이 여러 가지 현혹하는 말을 했겠지만 귀에 들어오진 않았고, 오직 한 여학생만 눈에 들어왔다. 조그만 몸집에 눈은 크고 공부 잘하게 생긴 여학생이었다. 나중에 들은 얘기지만 그 여학생도 내가 눈에 띄었단다. 그 후 학교 졸업하고 군대 마치고 취업하면서 결혼까지 하여 지금까지 25년을 넘게 살고 있으니, 인연은 인연이었나 보다. 시절인연(時節因緣), 굳이 애쓰지 않아도 만나게 될 인연은 만나게 되어 있다고 했던가. 난 흑심을 가지고 그 동아리에 들어갔다. 몇 달 지나지 않아 동아리 활동을 열심히 안 한다는 이유로 잘

렸지만, 전혀 개의치 않았다. 동아리의 가입 목적은 이미 달성했으니까.

대학 1학년 때 만나 결혼까지 7년 걸렸다. 보긴 드문 장기 연애였다. 연애 기간 많이 싸웠고, 헤어질 뻔한 적도 여러 번 있었다. 서로 어리고 미숙한 때였으니까. 그때 다 싸워서인지 결혼해서는 거의 싸운 적이 없다. 아내는 내가 군대 가던 해 법원 공무원이 되었고, 지금은 중간 간부가 됐다. 두 아이도 잘 키워냈고, 커리어 면에서도 인정받는 실력 있는 공무원이다. 아내는 법무사와 행정사 자격을 가지고 있다. 그래서 나도 열심히 자격증을 딴다. 머지않아 퇴직하면 함께 사무실을 운영할 계획이라, 그때 꿀리지 않으려고. '셔터 맨'이 남자들의 로망이라는 우스개도 있지만, 그보다는 '동업자'가 나을 듯싶다. 결혼 초기 맞벌이하며 애들 키우느라 아내 고생이 많았고, 내 직장이 오지에 있는 경우가 많아 주말부부 기간이 길어 혼자 힘든 시간도 보냈다. 퇴직하고 사무실 내면, 그땐 내가 사무실 청소 열심히 하며 잘 '모시고' 살 생각이다.

철학자 니체는 결혼할 때, '나는 이 사람과 늙어서도 대화를 즐길 수 있는가?'를 자문하라고 했다. 이런 말도 했다. '결혼이 불행해지는 이유는 사랑이 부족해서가 아니라, 우정이 부족해서다.' 독일의 소설가 레마르크는 '사랑이란 별다른 것이 아니라 그 사람과 함께 늙어가고 싶은 것이다.'고 했다. 나는 대학 일학년 때 평생 대화할 수 있고, 함께 늙어가고 싶은 사람을 만났다. 나에게 결혼은 행운이었다.

### 공부와 데이트, 두 마리 토끼 잡기

우리의 데이트 장소는 학교 중앙도서관이었다. 내가 일찍 도서관에 가서 자리를 잡았다. 같이 공부하고 밥 먹고 그러면서 연애와 공부, 두 마리 토끼를 잡을 수 있었다. 나는 마음이 안정되었고, 그녀의 응원에 힘입어 더 열심히 공부할 수 있었다. 그녀도 원래 공부 잘하는 우등생이었지만, 나와 만나 같이 공부하면서 공무원 시험 볼 생각도 하게 됐다. 서로에게 도움이 되는 윈윈 캠퍼스 커플이었던 셈이다. 만남의 횟수가 늘어가면서 우리는 우리의 최대 약점이었던 영어를 같이 공부해보기로 했다. 무모하게도 나는 집에 있던 영어원서 한권을 들고 왔고, 영한사전을 찾아가면서 공부했다. 한 장 해석하는데 몇 시간 씩 걸렸고, 오래지 않아 그만 뒀다. 하지만, 그 때 나는 다짐하며 말했다. "언젠가 같이 미국 유학 가자." 그 후로 내 머릿속엔 항상 함께 유학하는 꿈이 자리 잡고 있었다. 비록, 현실은 꿈과 멀었지만, 틈틈이 영어공부를 계속하고, 그 끈만은 놓지 않고 노력하게 만든 원동력이었다. 그리고 그 꿈은 18년 후에 이루어졌다.

군 제대 후 나는 공기업에 취업했고, 아내는 법원에 계속 근무했다. 아내는 공무원이 되기 위해 태어난 사람 같다. 타고난 성실성과 책임감이 남 다르다. 대신, 융통성이 좀 없다. 민간 기업을 갔으면 빛을 보지 못했을 것이다. 그래서 내가 우스개로 '법원 공무원 맞춤형 인간'이라고 부른다. 내가 일하는 분야와 아내가 일하는 분야는 크게 다르지만, 우리는 아내 일로 자주 대화한다. 같이 법대를 나왔고, 내가 명색이 법학박사에 미국 변호사 아닌가. 내가 법 공부를 계속한 덕을 아내가 가끔 본다. 아내의 일로 고민이 있으면 같이 토론하고, 해결책을 함께 만들어 본다. 니체의 말처럼, 결혼해서 부부가 대화가 된다는 건 정말 중요한 일이다. 유대감과 행복감을 키워주니 말이다.

도서관 데이트에서 시작된 끊임없는 자기계발과 공부. 나 자신의 발전은 물론 길게는 아이들 교육과 아내의 커리어 성공에까지 도움이 되었으니, 나에겐 일석삼조의 아주 수지맞는 투자였다고 할 수 있다.

## 치열했던 대학 생활

"그대는 인생을 사랑하는가? 그렇다면 시간을 낭비하지 말라.
시간이야말로 인생을 형성하는 재료이기 때문이다."
_벤저민 프랭클린

### 공부는 습관이다

'어려운 형편에 생활비도 빠듯한데 어떻게 대학을 다니나?'

'까짓것, 장학금 받으면 되지.'

대학에 입학할 때는 호기롭게 자신했으나, 첫 학기부터 쉽지 않았다. 초등학교 4학년이 곧바로 대학생이 됐으니, 당연한 일 아니었겠는가. 수시로 절망했고 두려움이 엄습했다. 장학금 못 받으면 학교 못 다니는데, 어쩌지. 새벽 5시면 일어나서 밥해 놓고 일 나가는 어머니 얼굴이 떠올랐다. '뭔가 특단의 대책이 있어야겠어.' 특단의 대책이란 게 별 것 있겠는가. 공부시간을 늘리기로 했다. '학교 중앙도서관에 자리를 잡고 온종일 공부해야지!' 다음 날부터 하루 도시락 3개를 싸 들고 새벽 4시에 집을 나서서 중앙도서관에 가는 생활을 시작했다. 그 시간이면 이미 도서관 계단에 기다리는 학생들이 꽉 차 있었다. 열람실 좋은 자리를 차지하기 위해 문 여는 시간을 기다리는 것이다. 나에겐 별천지였다. '이렇게 열심히 공부하는 사람들이 많구나!' 대부분 군대 갔다 온 예비역 복학생들이었다. 군대 야전 상의에 속칭 '깔깔이'로 무장한. 나도 그 대열에 합류했다는 것이 자랑스럽고 뿌듯했다. 첫 일주는 하루 열다섯 시간씩 공부하며 정신력으로 버텼다. 두 번째 주에 접어들자 체력이 바닥났다. 머리가 띵하고 코피도 흘렀다. 결국, 2주를 다 못 채우고 새벽 도서관 자리 잡기는 포기했다. 그렇다고 공부를 포기했겠는가. 8시쯤 학교에 가서 덜 좋은 자리에 앉아 밤 10시 정도면 집에 가는 생활로 패턴을 바꿨다. 그 정도는 체력이 버틸만했다. 4년 내내 특별한 일이 있는 경우를 제외하고는 같은 생활을 계속했다.

"우리가 반복해서 하는 행동이 곧 우리다. 그렇게 보면 탁월함이란 행동이 아니라 습관이다." 아리스토텔레스가 한 말이다.

# 성공한 실패, 사법시험 29회

"한 번의 실패와 영원한 실패를 혼동하지 마라."
_F. 스콧 피츠제럴드

### 개천에서 용 나려면

'그 집 아들 고시 합격했대, 개천에서 정말 용 났네.'

요새는 '개룡남'이 되기도 어렵지만, 되도 별 볼 일 없다고는 한다. 희소가치가 줄었을 뿐만 아니라 학벌 · 인맥 · 집안의 뒷받침 없는 개룡남이 출세하긴 어렵다고 보는 것이다. 한편으론, 용이 나올 개천 자체가 말라버린 탓도 있다고 생각한다. 경제가 크게 발전한 덕에 절대 빈곤층에 속하는 수재 자체가 드물게 되었다는 말이다. 또한 과거엔 너도나도 가난했으니, 가난이 갖는 핸디캡도 지금처럼 치명적이진 않았다는 생각도 든다. 어쨌든, 과거 개룡남의 전형이 사법시험에 합격한 가난한 집 수재 아니겠는가. 합격만 하면 신부 집에서 열쇠 3개를 챙겨 보낸다는 설이 정설처럼 돌던 시절이다. 누구네 집 아들이 사시에 합격했더니 군수가 집에 인사하러 왔다더라는 소문도 회자됐다. 부모님들 한풀이와 효도에 이만한 아이템도 없었을 것이다.

해서, 법대에 가면 누구나 한번 쯤 사법시험 도전을 꿈꾼다. 어려서부터 아버지로부터 판 · 검사 찬양을 귀에 딱지 앉도록 들었던 나도 당연히 사시를 생각했다. 사시 공부 하다 실패해도 다른 공무원시험 공부가 병행되는 거니까 나쁠 것 없다고 생각했다. 플랜B를 미리 염두에 두는 사고방식이 바로 성공의 장애라고 비판받을 수 있겠지만, 나 같은 처지에선 퇴로도 미리 생각하지 않을 수 없다.

당시 사법시험 1차는 무려 8과목. 헌법, 민법, 형법, 국사, 세계사, 경제학개론, 선택과목으로 영어와 형사정책. 40문제씩 8과목이니 당시 대입학력고사와 맞먹는 문항 수였고, 범위도 넓었다. 사시를 보겠다고 마음먹고 공부를 시작한 때가 2학년 2학기 말이었다. 29회 사법시험이 1987년 5월에 있었으니 약 6개월 정도 준비했다. 말이 6개월이지 가장 중요한 마지막 한 달은 공부를 아예 하지 못했다. 체력이 고갈되어 책상에 앉아 있어도 두뇌가 작동하지 않았다. 책을 전혀 읽을 수가 없었다. 그때 절실히 깨달았다. '아, 고시 공부 하려면 지력(知力), 재력(財力), 체력(體力)이 있어야 하는구나.' '좋은 머리가 있어야 하고, 책 사보고 학원도 다닐 수 있는 그리고 공부에만 집중할 수 있는 환경을 만들어줄 돈이 있어야 하고, 긴 수험기간을 견딜 수 있는 체력이 받쳐줘야 하는 거로구나.' '이번 시험 끝나면 고시 공부는 그만둬야겠다.' 고기 한 점 사 먹지 못하고, 돈이 없어 책 한 권 사는 것도 벌벌 떨어야 했던 내 처지에, 고시 공부는 사치라고 느껴졌다.

'어쨌든 준비했으니 이번 시험은 봐야지!'

시험 하루 전날 광주로 가서 자고 아침 8시경 시험장으로 향했다. 9시경 시작된 시험은 오후 5시 무렵 끝났다. 긴 시험시간과 많은 문제 수에 대학입시를 다시 보는 것 같았다. 시험이 끝나 뜨거워진 머리를 시키며 마음은 홀가분해졌고, 시험도 예상외로 잘 본 것 같았다. "이러다 합격하는 거 아냐?" 시험장에 따라온 지금의 아내와 형에게 이런 말까지 했으니까. 느낌은 좋았지만, 며칠 후 평을 들어보니 예년보다 쉬워서 합격선이 올라갈 거라고 했다. 기대를 접었다. 1차를 합격한다 해도 2차를 준비할 자신도 없었다. 그렇게 시간이 흘렀고, 드디어 합격자 발표일. 그 당시 시험을 주관하던 총무처에 확인해 보니 역시나 낙방이었다. 그래도 궁금했다. 내 성적이 어느 정도나 되는지, 그 정도 공부하면 어느 수준까지 올라가는 건지. 평균 80점에 약간 못 미치는 점수였고, 그해 합격선은 80점을 훌쩍 넘었다. 예년 커트라인이 74점이나 76점 정도였으니, 합격하나 착각할 만도 했다. 그래도 난 만족했다. 비록 고시 공부는 더하지 않을 결심을 했지만, 제대로 붙어보면 합격할 수 있겠단 자신감은 생겼으니까.

## 떨어져도 좋았다

이미 밝혔듯 초등학교 4학년을 중퇴하고 검정고시로 초·중·고등학교를 14개월 만에 건너뛰었으니, 나의 저변 학습량과 독서량이 얼마나 부족했겠는가. 그런데 사법시험 1차 8과목을 공부하면서 나에게 부족했던 공부가 많이 채워졌다는 느낌이 들었다. 실제 이때 쌓은 실력이 훗날 취업시험에서도 위력을 발휘했고, 미국 유학 가서 변호사 시험 준비할 때도 결정적인 기여를 했다. 고시 공부 기간이 법적 사고력을 키우는데 더 없이 좋은 기회가 되었다. 같이 대학을 졸업한 동기들을 보더라도, 고시 공부를 한 경험이 있는 친구들과 없는 친구들은 전공실력 면에서 비교가 되지 않는다. 또, 짧지 않은 시간 공부하면서 자기관리 역량도 커질 수밖에 없다. 떨어지긴 했지만, 사시 응시는 매우 의미 있는 도전이었다.

이렇게 고시 공부는 접었지만, 도전 자체가 끝난 건 물론 아니었다. 여러분이 한 번의 실패에 좌절하고 있다면, 탈무드의 가르침을 가슴에 새겨보자.

"승자는 일곱 번 쓰러져도 여덟 번 일어서고, 패자는 쓰러진 일곱 번을 낱낱이 후회한다."

## 대학졸업과 진로고민

"젊음은 알지 못한 것을 탄식하고, 나이는 하지 못한 것을 탄식한다."
_앙리 에스티엔

남자들의 고민

'나도 이제 4학년이구나!' 답답해졌다. 고시는 더 못할 것 같고, 입대도 눈앞에 있고, 어찌해야 하나. 군대! 남자라면 누구나 가는 곳이지만 여자들은 입대를 앞둔 남자의 공포를 이해하지 못할 것이다. 오죽하면 '끌려간다'고 표현할까, 도살장에 끌려가는 소처럼. 어쨌든 현실적인 고민을 해야 했다. 군대는 어떻게 하고, 장래 취업을 위해 무엇을 해야 할지.

먼저 군대를 안 갈 수 있는 방법을 연구하기 시작했다. 도서관에 가서 병역법 관련 책을 뒤져 보고 합법적으로 면제 받을 수 있는 방법부터 찾기 시작했다. 사촌 형이 몇 대 독자로 입양돼서 병역이 면제됐다는 얘기를 들은 적이 있어서 어머니에게 어디 양자로 들어갈 데 없냐고 묻기도 했다. 그때만 해도 교육대학을 가면 RNTC로 학교 다니면서 군사훈련을 받고 예비역하사로 병역을 마치는 제도가 있었다. 매력적으로 보여 교대를 다시 갈까도 진지하게 고민해 봤다. 초등학교 선생님을 하는 내 모습을 상상할 수가 없어서 포기했고, 의대를 갈까, 대학원을 갈까, 여러 가지 고민을 했다. 당시 군 입대를 앞둔 남자들에게 가장 인기 있던 제도는 석사장교였다. 대학원을 나와 석사학위가 있는 사람들이 6개월간 훈련만 받고, 곧바로 예비역소위로 편입되는 환상적인 제도였다. 전두환 전 대통령의 아들을 위해 만들었다는 얘기도 있었지만, 사실 여부는 알 수 없다. 대학원을 일단 가야 선택할 수 있는 제도였기에 가정 형편상 고려 대상에서 제외했다.

기왕이면 장교

'차라리 ROTC나 할 걸 그랬나?'

이런 고민을 하고 있을 때 학교 게시판에 장교모집 공고가 났다. 학사장교! 바로 이거야. 육군, 해군, 공군이 군별로 대학 졸업자를 대상으로 장교를 모집했다. 가능한 곳엔 모두 원서를 내기로 했다. 해군과 공군은 필기시험도 있었다. 내심 공군장교로 뽑히길 기대했는데 신체검사에서 걸렸다. 치과 검사를 하는데 부정교합이라고 하지 않는가. '부정교합? 그게 뭐지? 전투기 조종사 뽑는 것도 아닌데 부정교합이 왜 탈락 사유가 되는지 이해할 순 없었지만, 규정이 그렇다는데야 어쩌겠는가. 마지막으로 육군이 남았다. 선발되려면 체력검사가 가장 중요하다고 했다. 몇 달 전부터 계획을 세우고 체력훈련을 했다. 팔굽혀펴기, 철봉, 윗몸일으키기 그리고 400m 트랙 4바퀴씩 돌기. 1500m 달리기가 가장 큰 장애였고, 배점이 커서 역시 제일 중요했다. 처음엔 한 바퀴 도는 것도 무리였다. '노력해서 안 되는 일은 없다!' 한 달여 달리기를 계속하자 폐활량이 커지고 속도는 빨라졌으며, 자신감이 생겼다.

경북 영천에 있는 육군3사관학교. 육사 출신과 ROTC를 제외한 모든 장교 후보생들을 교육하는 기관이었다. 법무관, 군의관, 여군장교들까지. 육군3사관학교에 가서 면접과 체력검사를 받았다. 체력검사의 꽃은 역시 1,500m 달리기. 총성이 울리고 출발했다. 30명이 한 조였는데 많은 지원자가 처음부터 치고 나갔다. 시작해서 첫 트랙은 꼴찌. 나는 당황하지 않고 평소 연습한 대로 페이스를 유지하며 달렸다. 한 명 제치고 두 명 제치고, 레이스 중반에 접어들자 중위권에 들었고, 종반에는 10위권 이내로 올라섰다. 나는 여유 있게 웃으면서 테이프를 끊었다. '합격 예감!'

### 졸업

4학년 수업은 느슨했다. 교수님들은 학점을 후하게 줬고, 시간도 여유가 있었다. '졸업하고 군대 가기 전에 뭐라도 해야 하는데…….' 7급 검찰사무직 시험이나 볼까? 사법시험 1차 공부했던 가락도 있겠다 국어와 한문만 새로 공부하면 됐으니까, 조금만 하면 될 것 같았다. 졸업을 앞두고 보험 성격으로 보는 시험이라, 사시 때만큼 열정이 생기진 않았다. 시험은 무난히 치렀고, 마음에 여유도 있었다. '잘하면 붙겠는데?' 하지만 결과는 낙방. 시험은 그리 어렵지 않았지만, 내가 고려하지 않았던 장애물이 하나 있었다. 군 가산점 5%, 딱 그만큼 차이로 떨어졌다. 그때만 해도 군 가산점이 있던 때니까.

학교수업은 다 끝났고, 군대 갈 마음의 준비를 하면서 졸업을 맞았다. 공교롭게도 학사장교 합격자 발표일이 졸업식 날이었다. 먼저 졸업식을 갔다 와서 병무청에 전화를 걸었다. '당연히 붙었겠지.' 그런데 이게 웬일인가. 전화 너머로 병무청 담당자가 한참 명단을 찾더니, 내 이름이 없다지 않는가. 이런 마른하늘에 날벼락이 있나. 그날 졸업식도 끝나고 좋았던 분위기를 완전히 망쳤다.

'우리 집에서 최초로 학사학위를 받은 경사스런 날이었는데……'

다음 날부터 시내 서점을 돌아다니며 다음 진로를 고민했다. 다시 장교시험을 봐야 하나, 졸병으로 입대를 해야 하나. 아니면 대학원을 갈까? 이런 고민을 며칠 째 이어가며 시내를 배회하고 집에 돌아왔는데, 병무청에서 엽서가 하나 와 있었다. "합격을 축하합니다. 3월 5일 육군3사관학교로 입교하십시오." '뭐 이런×같은 경우가 있어.' 병무청 담당자가 실수한 것이었다. 합격인데, 명단에 없다고. 입대가 열흘 남짓밖에 남지 않았다. 마음이 급해졌다.

'뭐부터 준비해야 하나?'

이렇게 나의 대학 시절이 끝났다.

지금의 나는 평생 내가 배운 것과 읽고 경험한 것의 총합에 사색이 더해져 숙성된 결과물이므로, 고등 학문을 처음 배운 법대 4년간 뭘 공부했는지 살펴보는 것도 의미가 있을 것 같다. 대학 시절 법학과는 졸업학점이 150학점으로 다른 과보다 10학점 많았다. 160학점이었던 의학과를 제외하고.

교양과목으로는 국민윤리, 한국사, 영어, 독일어, 수학, 체육, 교련, 전산학개론, 정치학개론, 사회학개론, 경제학개론을 배웠다. 전공과목으로는 법학개론, 법철학, 영미법, 대륙법, 독법원강, 헌법, 민법총칙, 물권법, 채권총론, 채권각론, 친족상속법, 민사소송법, 형법총론, 형법각론, 형사소송법, 형사정책, 행정법, 상법총칙 및 상행위, 회사법, 보험해상법, 어음수표법, 국제법, 국제사법, 세법, 노동법, 환경법, 사회보장법을 배웠고, 기타 여러 과목의 사례연습을 수강했다.

# CHAPTER III
# 인생의 황금기

## 아가씨와 사관

"우리는 항상 젊음을 위해 미래를 개발할 수는 없지만,
미래를 위해 우리의 젊음을 개발할 수는 있다."
_프랭클린 D. 루즈벨트

### 소위 계급장은 고스톱 쳐 딴 게 아니다

나는 우여곡절 끝에 장교로 군대에 가게 되었다. 41개월 복무로 사병 입대보다 1년 이상 길었지만, 당시 내가 장교로 군대를 간 가장 큰 이유는 월급을 주기 때문이었다. 지긋지긋한 가난으로 겪어오던 돈 가뭄을 벗어날 절호의 기회였으니까.

장교로 입대하면 일단 사관후보생 시절부터 월급을 준다. 육사 생도처럼 월급이 나오는데 1989년 당시 6만 원 정도 했던 것 같다. 속옷을 포함하여 다양한 피복과 숙식이 모두 무료로 제공되니 그게 어딘가. 게다가 소위로 임관하면 7급 공무원 상당의 급여가 나온다. 당시 소위 1호봉이 196,000원이었던 걸로 기억한다. 본봉만 그렇고 3, 6, 9, 12월에 상여금도 나오고 각종 수당도 있으니 적지 않았다. 어머니 혼자 식당일로 20만 원 남짓 벌던 시절에 장교 월급은 가뭄

에 단비와 같았다. 나보다 늦게 대학에서 공부하던 형들에게 가끔 용돈도 줄 수 있었으니까. 이젠 병장 월급도 40만 원이 넘는 시대가 돼서 군대 가면 적금 든다는 말도 나오지 않을까 모르겠다. 장교 지원의 두 번째 이유는 대학 나와 늦게 군대 가서 나이 어린 선임에게 수모를 당하고 싶지 않았던 것이다. 세 번째는 전역 후 취업에 유리할 것으로 생각했기 때문인데, 군대 가서 실제 얻은 가장 큰 수확은 리더십이었다. 20대 초반 젊은 나이에 부하를 거느리고 통솔해 볼 기회가 군 장교 복무 아니면 어디에 있겠는가?

전통적으로 영어를 배울 수 있어 인기가 높은 카투사는 물론, 자신의 전공을 살리고 리더십도 키울 좋은 기회가 많다. 기왕 가야하는 군대라면, 끌려가는 것보단 골라 가는 게 백배 보람 있고 좋은 일이다. 나라면 장교 입대를 더 권하고 싶다. 전역 후엔 조카들에게도 적극 권유했다. 갈 수만 있으면 장교로 가라고. 장교 입대를 하면 사회생활 10년은 해야 배울 것을 3년 안에 배울 수 있다. 그것도 20대 초 · 중반에. 변호사, 의사, 공인회계사 같은 전문자격 보유자가 아니더라도 육 · 해 · 공군 각 군의 다양한 병과에서 장교를 모집한다. ROTC, 학사장교, 육군3사관학교 등 다양한 경로로 군 장교가 될 길은 열려있다. 부분적으로 부활시킨 곳도 있지만, 과거와 달리 군 장교 전역자를 대상으로 하는 대규모 기업공채는 없어졌다. 그래도 장교 복무는 나를 업그레이드할 좋은 기회로서 여전히 매력적이라고 생각한다.

사관학교에 입교한 첫날부터 군기 잡기와 함께 틈만 나면 구보를 시키고 끊임없이 움직이게 한다. 훈련기간 후보생들의 체력은 자신도 모르는 새 증진된다. 모든 것이 훈련과정의 백미인 200Km 행군을 무사히 마칠 수 있도록 치밀하게 짠 프로그램인 것이다. 입교 첫날 하나같이 얼치기 당나라 군대 같던 우리 모습이 한 주 두 주 훈련을 거치면서 절도 있고 멋있는 장교의 모습으로 변해가는 것을 눈으로 보고 느낄 수 있었다. 지금은 생활관이라 부르는 좁은 내무반에서 십여 명씩 모여 잤다. 고된 훈련을 받으며 육체적으로 힘이 드니, 다양한 배경을 가진 후보생 간에는 갈등이 많이 생겨난다. 내가 속한 내무반에는 체육대학을 나오고 레슬링 선수를 했던 동기가 있었다. 그 친구에겐 후보생 훈련이 아무것도 아니었을 것이다. 체고, 체대를 거치며 체력적으로 훨씬 힘든 훈련을 견디고, 단체생활도 계속했을 테니까. 그런 동기의 눈에는 내가 못마땅했던 모양이다. 체력도 떨어지고, 학교도 제대로 다니지 않은 내가 단체생활에 미숙했을 테니 그럴 만도 하겠다 생각은 했지만, 유난히 그 친구가 싫은 내색을 했다. 치고받고 싸울 정도는 아니었지만, 불편한 관계는 임관하기 직전까지 지속했다.

같은 훈육대에는 체대 나온 친구와 같은 이름을 가지 동기가 한명 더 있었다. 약대를 나와 의정장교로 가게 돼 있었는데, 성격이 유순하고 잘 웃었다. 같은 이름이라 동기들이 가끔 놀리기도 했다. 훈련이 다 끝나고 임관식을 앞둔 바로 전 주에 반전이 일어났다. 행정착오로 이름이 같은 두 친구의 내무반 배치가 서로 바뀌었다는 것이다. '이런, ××!' 그런데 반전은 그것이 끝이 아니었다. 임관식 하루 전 체대 나온 동기가 나에게 다가오더니 물었다.

"너, 검정고시 했어? 진작 얘기하지."

"……."

그 후로 그 친구의 말투와 태도가 180도 바뀌지 않았겠는가. 임관 후 30여 년이 지난 지금까지 다시 만나지 못했으니 단 하루뿐이었지만. 왜 그러냐고 직접 묻진 못했으나, 그 친구는 내가 검정고시 했다는 얘기를 행정을 담당하는 훈육대 누군가에게서 들었을 것이다. '그 동안 너의 행동을 이해하겠다. 나도 너처럼 어렵게 컸어. 알았으면 좀 더 잘해 줬을 텐데.' 그 친구의 갑작스런 태도변화. 뭐, 이정도의 의미가 아니었겠는가, 생각했다.

## 리더가 되는 길

군대에서 훈련받을 때는 동료 중 누군가 잘못하면 전체를 얼차려 시킨다. 처음엔 그 잘못하는 동료가 미워 죽겠지만, 어쩔 수 없이 벌 받지 않으려고 더 열심히 한다. 두 번 세 번 반복하다 보면 기가 막히게 오와 열이 맞고 움직임은 일사불란 해진다.

입교 후 내무반 생활이 2주 차쯤 접어들면 동료 중 누가 방귀를 뀌어도 냄새가 똑같아진다. 누군가 방귀를 뀌면 그 사실을 깨닫고 크게 소리 내 웃었다. 그뿐인가. 비 오는 날 땅을 기면서 총을 쏘고, 빗물이 섞인 된장국에 밥을 말아 함께 먹으며 전우애가 싹튼다. '이래서 전시에 전우와 함께 목숨 바쳐 싸울 수 있게 되는 거구나!' 군대에서만 할 수 있는 값진 경험이었다.

사관학교 훈련과정에 교관화 과목이란 게 있었다. 장교로 임관해서 임지에 가면 부하들을 직접 교육할 수 있게, 교안을 외우며 실제 교육하는 것처럼 연습시키는 과정이었다. '연일 계속되는 교육훈련에 대단히 수고가 많다.' 이렇게 시작되는 교안을 다 외웠다. 다섯 과목 정도였던 것으로 기억하는데, 다 통과하자 신기하게도 남 앞에 서는데 자신감이 생겼다. 이 경험은 두고두고 큰 자산이 되었다.

사격, 각개전투, 기관총, 독도법, 화생방, 박격포, 지휘통솔 등 각종 군사훈련을 마치면 후보생들을 기다리고 있는 두 개의 높은 산이 있다. 유격훈련과 200Km 행군이 그것이다. 유격훈련은 경북 영천의 화산유격장에서 한다. 화산유격장은 해발 828m의 화산에 자리하고 있는데, 육군3사관학교를 출발해서 야간행군으로 도착했다. 사실 야간에 행군으로 유격장까지 가는 것이 본 훈련보다 훨씬 힘들다. 실제 유격훈련은 야간행군에 비교하면 아무것도 아니었다. 약 20주에 걸친 훈련으로 나도 모르는 사이 체력이 향상된 덕일 것이다. 4박 5일의 올빼미 놀이를 마치고 3사관학교로 돌아왔다. '아, 이제 200Km 행군만 남았다!'

유격훈련을 생각보다 쉽게 마친 나는 200Km 행군이 만만해 보였다. 행군을 앞둔 주에는 후보생들이 집이나 여자 친구에게 연락하여 소포로 받은 스타킹과 생리대가 속속 도착한다. '군대 훈련에 웬 스타킹과 생리대냐?' 이렇게 묻겠지만, 200Km 행군에 쓰일 '비밀병기'들이다. 양말을 신고 전투화를 신어도 발과 딱딱한 전투화 가죽의 마찰로 인해 뒤꿈치에 물집이 쉽게 잡힌다. 한번 물집이 잡히면 살갗이 벗겨지는 고통을 4박 5일 동안 200Km 행군이 끝날 때까지 맛봐야 한다. 스타킹과 생리대로 중무장한 동기들도 뒤꿈치가 까져 고생한 걸 보면 그 효과가 미심쩍기는 하나, 안 한 것보다는 나았을 것이다. 나는 비밀병기도 없이 무모하게 행군에 나섰다. 첫날부터 뒤꿈치가 벗겨져 4박 5일간 극한의 고통을 맛봐야 했다. 뒤꿈치 속살이 벌겋게 드러났고, 양말과 상처 부위가 붙어 떨어지지도 않았다. 얼마나 후회가 되던지, 비밀병기.

행군은 군용 트럭에 태워 한 시간 이상 이동한 후, 산속 자갈길에 떨궈 놓으면서 시작됐다. 행군대열 뒤쪽에 트럭이 따라오면서 음악을 틀어줬다. 힘내라고. 이지연의 '바람아 멈추어다오'와 해바라기의 '모두가 사랑이에요'가 흘러나왔다. 제대하고 한동안 노래방 가면 행군 때 생각이 나, 그 노래를 부르곤 했다. 행군 중에는 발뒤꿈치가 벗겨진 것도 고통스러웠지만, 한여름에 땀을 너무 많이 흘려 탈진상태가 되었다. 사흘째 되자 체력도 한계에 달해 너무 힘들었다. 더위 때문에 야간행군을 주로 했는데 정말 눈 뜨고 잔다는 게 뭔지 몸소 체험했다. 더 신기한 건 눈 뜨고 자면서도 참 잘 걸었다는 사실이다. 야간 행군 중

갈증이 너무 심해 방탄모를 벗어 논물을 퍼마셨다. 원효대사가 밤에 해골바가지 물을 마시고 난 다음 날 눈을 뜨고 본 후 토하다, 문득 깨달음을 얻었다는 일화가 떠올랐다. 칠흑 같은 밤이라 물속에 뭐가 들었는지 보이지도 않았다. 그저 물이 시원하고 달콤했을 뿐이다. '농약이나 안 쳤으면 다행이지.'이런 생각으로 개의치 않고 수통에 논물을 가득 채우고 행군을 다시 시작했다. 채워 둔 수통은 곧 바닥을 드러내기 마련, 주변에 냇가나 논도 없으면 목이 너무나 탔다. 동기들에게 물 한 모금 부탁하기가 미안해 입이 떨어지지 않았지만, 어쩔 수 없어 겨우 한마디 했다. "저, 물 한 모금만 마실 수 있을까?" 그중 한 동기가 잠시 머뭇거리더니 수통을 건넸다. 그 귀한 물을 주다니. 그 친구는 독실한 크리스천이었다. 아마도 종교적 가르침이 작용했으리라. 너무 고마워서 그 친구 이름을 잊지 않고 언젠가 보답하겠노라 속으로 다짐했었다. 몇 해 전 임관 25주년 행사 때 그 전우를 만났고, 그 때 얘기를 하면서 고마웠던 마음을 전했다. 물론, 그 친구는 그때 일을 기억하지 못했지만, 환히 웃으며 반가워했다. 행군하며 고마웠던 전우가 하나 더 있다. 행군 막바지 5일 째 접어들면서는 한 걸음씩 발을 움직이기도 힘들었다. 가끔 낙오하여 앰뷸런스를 타고 가는 전우도 있었지만, 어떻게든 내 힘으로 행군을 마치고 싶었다. 그때 씩씩하게 200Km 아니라 2,000Km 행군이라도 해낼 듯 선두에서 걸어가는 친구가 있었다. 조정 국가대표 선수 출신이었다. 185cm 정도 키에 떡 벌어진 어깨, 누가 봐도 '국대 포스'가 느껴지는 친구였다. 나는 그 친구 야전삽 자루를 붙잡고 행군의 마지막 고비를 넘을 수 있었다.

드디어 저 멀리 '우리 집'이 보였다. 3사관학교 후문으로 들어설 무렵, 군악대가 나와 환영주악을 연주하고 있었다. '드디어 끝났구나! 갑자기 힘이 나기 시작했다. 100Km는 더 가도 될 것처럼……. 강한 육체적 고통을 참고 이겨냈을 때 카타르시스를 맛본 경험이 있을 것이다. 무슨 도전을 하든지 고통이 없으면 아무것도 얻을 수 없다. 사람들은 인생이 너무 평온해서 지루하면 일부러 모험을 찾아 고난의 길로 나서기도 한다. 일부러 자신을 괴롭히고 극복하는 과정에서 생명력을 느끼는데, 200Km 행군은 그런 의미에서 좋은 경험이었다. 육체의 한계를 극복하면서 정신력이 강해졌고, 자신감도 충만해졌다.

자, 이제는 임관식만 남았다. 꿈에 그리던 5만 촉광에 빛나는 다이아몬드를 어깨에 다는 날. 임관식을 앞두고는 온통 축제 분위기다. 장교 정복이랑 구두도 주고 계급장도 나눠준다. 임관식 날 가족들 앞에서 멋진 모습을 보여주겠노라 다짐하며 밤잠을 설쳤다. 임관식 당일은 비가 왔다. 연병장 대신 체육관에서 임관식을 하느라 가족들에게 멋진 임관식 모습은 보여주지 못했다. 그래도 정복 입고 다이아몬드 계급장을 어깨에 단 모습을 어머니에게 보여드릴 수 있어 다행이었다. 주말 끼고 약 열흘 정도 휴가를 얻어 집으로 갔고, 잠시 쉬며 광주 상무대의 포병학교 입교를 준비했다. 지금은 상무대가 전남 장성에 있다.

장교는 리더다. 리더는 이렇게 만들어진다. 리더는 부모, 형제, 가족과 나라를 지키기 위해 목숨을 바칠 수 있어야 한다. 부하를 위해 희생할 수 있어야 한다. 부하보다 앞장서, 적진을 향해 돌진할 수 있어야 한다. 사관후보생 교육을 마치면서, 나는 건너뛴 학교 8년의 갭이 다시 한 번 현저히 줄었음을 느낄 수 있었다.

### 어리바리 육군소위

장교들은 임관 후 각 병과 교육을 몇 달씩 추가로 받는다. 나는 포병이 되었고, 당시에는 광주에 있던 상무대 포병학교에 입교했다. 포병학교에서는 약 4개월에 걸쳐 관측, 사격지휘, 야포사격 등 포병 운용에 관한 이론적인 교육을 받고, 실습도 했다.

병과 교육 중 상무대 내에 있던 운전학원에서 1종 보통면허도 땄다. 당시만 해도 자가용이 많지 않던 때라 운전을 배운다는 건 특권 비슷한 좋은 기회였다. 운전을 배우면서, '나도 제대하면 자가용 사서, 어머니 모시고 가족여행 가야지.' 하는 생각이 가장 먼저 떠올랐다. 운전면허 시험 볼 때도 장교 출신 간 은근한 경쟁이 있었다. 서로 잘 해보자는 선의의 경쟁이라면 성과를 높여주니 좋은 일이라 생각한다. 나는 필기, 실기 모두 첫 시험에 붙어 학사장교 출신의 자존심을 세우는 데 일조했다.

힘든 훈련과정을 마치고 병과학교에서 '회사원' 같은 생활로 행복해하던 와중에 비보가 들려왔다. 대구의 방공포병학교에 있던 동기 네 명이 주말 외출을 나가다 교통사고로 세상을 떠났다는 것이다. 그 중 한 명은 나와 같은 훈육대 출신으로 곱상하게 생긴 친구였다. 홀어머니 밑에서 어렵게 자란 전우였는데, 너무 슬픈 일이었다. 바깥에 잘 알려지지 않아서 그렇지 군대에서 사건 · 사고로 죽거나 다치는 전우들이 생각보다 많다. 같은 사단에 자대배치 받자마자 '칼침'을 맞은 동기도 있었다. 다행이 생명엔 지장이 없었지만.

병과 교육을 받는 기간 내내 초미의 관심사는 자대 배치를 어디로 받는가였다. 어차피 대부분은 최전방을 가겠지만 최전방도 부대마다 특성이 다르다. 특히 힘들다고 소문난 곳도 있었으니, 그곳만은 피했으면 좋겠다는 희망을 했다. 12월 초 병과 교육이 끝날 무렵 나는 강원도 철원의 6사단으로 명령이 났다. 6사단은 청성부대로 더 유명하며, 6 · 25 당시 개전 초기 38선에 배치된 모든 부대가 패퇴할 때 유일하게 적을 막아낸 정예사단으로 자부심이 높은 부대다. 사단에서 포병연대를 거쳐, 당시 동송읍에 있던 대대에 배치되었다. '읍내에 있는 부대라니, 이거 웬 떡이냐.' 이렇게 좋아한 것도 잠시, 알고 보니 두 달

후면 최전방 GOP로 들어간단다. 포병대대 하나가 보병연대 하나를 화력지원하는데, 우리 대대가 지원하는 연대가 GOP 근무를 위해 교대한다는 것이었다. GOP를 지원하는 포병부대는 최전방 OP(관측소) 근무를 나가야 했다. GOP는 General OutPost의 약어로 일반전초로 번역한다. GOP 경계근무를 맡는 부대가 군사분계선 남쪽 철책 경계를 선다.

화포는 곡사화기로서 포탄은 포물선을 그리며 날아간다. 후방에 위치한 화포 근무자는 전방의 표적을 직접 볼 수가 없으므로 최전방에 관측소를 운용한다. 관측소에 있는 포병 관측병이 표적을 보고 무전으로 좌표를 알려주면, 사격지휘소에서는 거리와 방향을 계산하고, 전포반에서 그 제원을 받아 각도와 장약을 조절해 포탄을 날리는 구조로 운용되고 있다. 화포 중 가장 작은 105mm의 사거리가 약 11Km 정도 된다.

처음 포대(포병대대의 하위 조직으로서 보병의 중대급 부대)에 배치를 받아 포대장에게 전입신고를 했다. 동기 한 명과 함께 둘이 갔는데, 작은 키에 왜소한 나는 포대장 눈에 안 찬 모양이었다. 내 동기가 전포대장(보병의 소대장과 비슷한 보직)에 보임됐고, 나는 관측장교를 맡았다. 그때는 12월이었고, 눈이 내렸다. 군대에서는 눈이 오면 모두 개고생이다. 포대장이 나에게 눈을 치우라는 지시를 했다. 늘 해오던 일이었을 텐데, 나는 어떻게 해야 할지 몰라 당황했다. 포대원들은 지휘계통상 전포대장의 명령을 듣게 돼있었다. 내 밑에는 병력이 없기 때문에, 동기 전포대장에게 부탁해서 병력 몇 명을 받아 제설작업을 나갔다. 어떻게 지휘하고 어떻게 눈을 치워야 할지 몰라 당황하고 있던 순간 떠오른 말이 '솔선수범'이었다. 빗자루 들고 내가 먼저 쓸기 시작했고, 다른 병사들도 함께했다. '장교가 빗자루 질이라니…….' 폼은 안 났겠지만, 첫 임무는 솔선수범으로 무난히 넘겼다.

# 군대는 썩는 곳이 아닙니다

"한가한 때 헛되이 세월을 보내지 않는다면
다음날 바쁠 때 쓰임이 있게 되고,
고요한 때에도 쉼이 없다면 다음날 활동할 때 도움이 되느니라."
_채근담

OP 산신령을 자원하다

GOP 내 전방 OP(Observation Post, 관측소)나 휴전선 내의 GP(Guard Post)에 관측장교로 나가는 일을 포병장교라면 대부분 꺼린다. 한번 들어가면 기본이 3개월, 교대 인력이 마땅치 않으면 6개월씩 세상 구경을 못 하고 살아야 하니 그럴 만도 하다. 그래서 최전방 OP 장을 산신령이라고 부른다. 서로 가기 싫어 눈치만 보고 있을 때 내가 자원했다. OP 장을 하면 좋은 점이 힘든 육체훈련이 없고, OP에서는 내가 왕이었으므로 간섭이 없다는 것이다. 덤으로 마음만 먹으면 고시 공부라도 할 수 있을 만큼 시간이 많다는 것도 큰 장점이었다, 나에겐.

6사단 포병연대에 2년 반 근무하면서 2년은 OP에서 산신령으로 살았다. 학교를 건너 뛰어 항상 배움이 부족하다고 생각했던 나로서는 공부할 좋은 기회였다. 물론 관측병들 관리하고, 적진 동향 감시하고, 사격준비 태세를 항상 유지하는 기본임무는 빈틈없이 수행하면서 말이다. OP에 배치되면 맨 먼저 전방에 보이는 적진의 주요 좌표를 외운다. 그다음은 머릿속에 지도를 그려 통째로 외운다. 좌표를 확인하는 데 쓰이는 관측장비가 있지만, 전시에 그 장비가 가용할지, 가용해도 그걸 사용할만한 시간이 있을지는 알 수 없지 않는가. 해서, 지도와 적진 주요 지형지물을 대조해가며 머릿속에 지도 격자를 그려 넣고 좌표를 암기한다. 적진에 포탄을 날려야 할 상황이 되면 곧바로 좌표를 무전으로 날릴 수 있게. 사실, 그것만 하면 관측장교는 할 일 끝이다. 그 이상 무엇이 필요하겠는가, 적진 지도가 내 머릿속에 있는데. 그 외에는, 가끔 높은 분들이 OP를 방문했을 때 브리핑을 해야 한다. 브리핑 차트를 준비하고 시나리오를 만들어 달달 외우는 건 기본이다. 이걸 잘못하면 속된 말로 엄청 깨진다. 이것까지 하면 완벽하다. 나머진 내 시간이다.

지금은 사병들도 자유시간이 보장되고 대학 학점을 따는 제도도 생겼다고 한다. 아무리 그래도 장교들만큼 자유롭지는 못할 것이다. 의무복무 하는 장교들도 기혼자는 영외 거주가 허용된다. 내 동기도 여럿 있었다. 그 중에는 혼인신고를 마쳐 영외거주의 자유를 누리면서도 아내는 실제 서울에 살던 요령꾼도 있었지만.

장교 중에는 군 복무 중 고시 합격자가 심심치 않게 나온다. 법무사관으로 따로 훈련받는 사시 합격자를 제외하고, 행시나 외시 합격자는 학사장교로 입대를 같이했기 때문에 동기 중에는 고위 관료가 많다. 이와 같은 기 합격자 말고, 장교복무 중 공부해서 합격한 고시 합격자도 제법 된다. 내가 군에 있던 때는 심지어 사병 중에도 군 복무 중 사법시험 합격자가 있었다. 불가사의하지만 사실이다. 첫째는 머리가 좋아서일 테지만, 어떤 환경에서도 해내려는 의지가 중요하다는 교훈을 얻게 된다.

## 군테크도 있다

요즘 사병 월급이 대폭 인상되어 병장 월급이 40만 원을 넘자 신문 지상에 군테크라는 용어가 심심치 않게 등장한다. 월급 모아 목돈 들고 제대하자는 뜻일 텐데, 사실 돈보다는 군 복무 시간을 활용한 시테크가 훨씬 의미 있다. 군 복무하면서 나는 영어를 공부하고, 법서도 읽었고, 시사상식 책도 섭렵했다. 취업이 지상과제였기 때문이다. PC도 당시 거금 80만 원을 들여 사서 배웠다. 군 부대에도 Korea Herald 같은 영자지가 들어왔다. 영자지 헌 신문 1주일 치를 모아서 모든 지면을 샅샅이 읽었다. 모르는 단어가 아는 단어보다 훨씬 많았지만, 사전 찾아 여백에 빼곡히 적어가며 읽었다. 그렇게 며칠 분을 정리하고 나니 그다음부터는 쉬웠다. 어휘 대부분이 반복돼 나와 모르는 단어가 몇 개 안 남게 됐으니까. 그때 영어 어휘력과 독해력 실력이 크게 향상된 걸 느꼈다. '세상의 모든 것들은 어려운 단계를 넘어서면 쉬워지게 된다.' 토마스 풀러의 말이 마음에 와 닿았다.

영어가 어느 정도 수준에 오르자 민법, 민사소송법 등 법서도 몇 권 사서 꾸준히 읽었다. 전역하는 해에는 시사상식 책을 구해서 몇 번에 걸쳐 반복해 읽었다. 3년여를 이렇게 보내고 나니 취업에 자신이 생겼다. 물론 모두가 나와 같은 여건에서 군 복무를 하지는 않는다. 하지만 뜻을 품고, 노력하면 길은 생기더란 얘기는 하고 싶다. 나와 같이 자대 배치를 받은 다른 동기들은 나와 비슷한 여건이었으나, 아무도 나처럼 하지 않았고, 훗날 취업할 때는 큰 차이를 보였으니까.

그 외에도 장교로 복무하면 좋은 점이 여러 가지 있다. 월급을 꼬박꼬박 모아 목돈을 마련하고, 전역할 때 군인연금 해약하면 그것도 제법 큰 돈이 된다. 퇴직금도 받는다. 이처럼 군  복무 기간을 활용하기에 따라서는 시테크와 재테크까지 되니, 군테크가 매력적이다. 내가 군 복무 하던 시절만 해도, 의무복무 하는 초급장교 중에 적금 들고 돈 모으는 사람은 극소수였다. 퇴근하면 '지역경제 활성화'에 열심히 기여하느라 저축할 여유가 없었고, 집에서 차입해서 쓰는 동기들도 꽤 있었다. 그러던 것이 분위기가 바뀌어, 내가 전역할 무렵 입대한 초급장교들은 열심히 돈을 모은다는 얘길 들었다. 그 후 26년이 지났으니 상황이 어떻게 바뀌었을까?

군 복무 가산점이 없어진 건 군대 갔다 온 남자들에게 참으로 아쉬운 일이지만 어쩌겠는가. 길은 스스로 찾아야 한다. 군 복무 기간을 버리는 시간으로 낭비하지 말고, 앞으로 살아갈 인생에 밑거름이 되도록 지혜롭게 이용해 보자. 근래에는 적성과 취업까지 고려해서, 군복무를 성장의 기회로 활용하는 법을 소개한 책도 나왔다.

### 역경을 이기는 힘

자신이 처한 상황을 어떻게 해석하는가에 따라, 우리는 불행해지기도 하고 행복해지기도 한다. '긍정적 스토리텔링'을 통해 내가 처한 역경의 긍정적 의미를 찾아내면, 우리는 역경을 이겨내고 행복해질 수 있다. 우리의 삶은 크고 작은 시련과 역경의 연속이다. 다행스러운 것은 우리에게 그러한 시련과 역경을 이겨낼 잠재적인 힘이 있다는 사실이다. 이를 '회복 탄력성'이란 용어로 설명하기도 한다. 회복 탄력성(resilience)은 원래 제자리로 되돌아오는 힘을 말하는 과학용어다. 심리학에서는 주로 시련이나 고난을 이겨내는 긍정적인 힘을 의미한다. 그 '정도'를 측정하는 회복 탄력성 지수라는 것도 있고, 탄성을 높일 수 있는 실천적 방법을 소개한 책도 나와 있다. 회복 탄력성을 높이는 데는 다양한 방법이 있다. 경험에 비추어, 나는 회복 탄력성의 근저에 '자존감'이 자리하고 있다고 믿는다. 1890년대 미국의 심리학자 윌리엄 제임스가 처음 사용했다고 알려진 자존감은 자신이 사랑받을 만한 가치가 있는 소중한 존재이고, 어떤 성과를 이루어낼 만한 유능한 사람이라고 믿는 마음이다. 자존감은 학업 성적, 리더십, 위기 극복 능력, 대인관계 등 삶의 많은 영역에 영향을 미친다. 공부하고, 책 읽고, 실력을 쌓으면, 자존감이 올라간다. 높아진 자존감은 더 많은 노력의 동력이 되고, 그 결과 다시 자존감은 올라간다. 당연히 자신이 처한 환경도 긍정적으로 보게 된다.

같은 군대 생활도 누구에겐 지옥이고 낭비된 시간이겠지만, 나에겐 리더로서 육성되고 재교육을 받는 기회였다. 조직생활 적응력과 사회성을 길렀고, 리더십도 키웠다. 우선순위에서 밀리는 곁가지 활동은 다 버리고, 여가시간은 나에게 가장 중요했던 취업준비에 몰두했다. 흙수저는 그래야 한다고 생각한다. 그 결과 3년 후 전역할 때, 군 복무는 나에게 버린 시간이 아닌 기회로서 긍정적으로 스토리텔링 됐다. 보람 있고, 행복한 시간이었다.

## 취업, 총성 없는 전쟁

"좋아하는 직업을 택하면 평생 하루도 일하지 않아도 될 것이다."
_공자

### 취업 전쟁

청년실업이 사회적 이슈가 된지 오래고, 좋은 일자리를 향한 젊은이들의 경쟁은 어느 때보다 치열하다. 내가 전역하던 26년 전에도 취업상황은 예년에 비교해 나쁘다고 했고, 그건 해마다 그랬다. 그러고 보면 경제상황이 지속적으로 나빠진 게 어제 오늘의 일이 아닌가 보다.

1992년 드디어 전역의 해가 밝았고, 취업전쟁은 나에게 현실이 되었다. 1991년 10.4%에 달했던 경제성장률은 1992년 6.2%로 추락했다. 3% 대 성장도 어려운 지금에 비하면 높은 성장률이긴 하다. 문제는 성장률 추이. 급격한 하향 추세였으니, 그 여파로 취업상황이 지난해보다 훨씬 안 좋다는 얘기가 들렸다. 3~4월경 기업들 신입사원 모집 공고가 나면, 전역을 앞 둔 장교는 취업 준비를 위해 부대별로 배려해준다. 원서 내고, 시험 치고, 면접 보러 갈 때 휴가 처리를 해줬다. 인력 사정이 좋은 부대는 일찍 보직에서 빼주기도 한다. 나는 전역 8개월을 앞두고 여단 연락장교로 파견을 갔다. 연락장교라는 게 상황근무만 잘 서면 되는 한직이라 취업 준비에 좋겠다 싶었는데, 문제가 생겼다. 정보과장이 장기 복무하는 육사 출신이어서 그랬는지, 취업 문제로 서울 가는 걸 허락하지 않는 것 아닌가. 지금의 국가정보원 면접을 앞두고 있었기 때문에 난감했다. 몇 번 얘길 해도 요지부동. 할 수 없이 무단결근을 하고 면접을 보러갔다. 기분을 망쳐선지 면접도 잘 보지 못했다. 갔다 왔더니 염려한 대로 난리가 나 있었다. 여단장 보고하고 조치하겠단다. 국가정보원에 자기 동기들 있으니 전화해서 떨어뜨리겠다는 협박과 함께. 그 길로 나는 자대로 복귀해버렸다. 국가정보원은 떨어졌고.

국가정보원에 들어갔다 해도 내 적성에 맞았을지는 의문이다. 세월이 흐르고 알았다. 물 흐르듯 자연스레 흘러가는 곳에 답이 있다는 것을. 내가 할 수 있는 노력은 다하되, 마음은 편안히 갖고 결과는 하늘에 맡기는 게 좋은 것 같다. 뜻했던 바와 다른 상황, 그곳에서 의외의 좋은 길을 찾기도 하니까. 세상일은 동전의 양면과 같다. 어떤 일에도 좋은 면과 나쁜 면은 함께 존재한다.

### 고지를 넘다

검정고시를 거쳐 지방대학을 나온 나에겐 경기가 좋건 나쁘건 취업이 어려운 건 마찬가지일 거라 생각했다. 대기업은 어차피 서류통과도 안 될 테니까. 처음부터 나의 타겟은 공기업이나 공무원이었다. 지금 청년들이 공기업과 공무원을 선호하는 것과는 닮은 듯 조금 다른 이유였다. 필기시험만 잘 보면 붙을 수 있는 곳이었고, 지방대학 출신이라고 서류에서 떨어뜨리진 않는 곳이었으니, 실력으로 해볼 만 하다고 생각했다. 시험 삼아 대기업 몇 곳에 서류를 보내봤지만, 역시나 회신이 없었다. 공기업이나 공기업과 유사한 성격을 가진 금융기관을 주된 목표로 삼아 응시원서를 접수했다. 필기시험을 치르는 곳은 모두 붙었다. 당시에는 면접이 요식행위에 불과했으니까, 필기만 붙으면 최종합격이나 다름없었다. 최종적으로 증권회사, 은행, 공사 등 네 곳을 두고 어딜 갈까 행복한 고민에 빠졌다. 결국, 친척이나 부모님이 '좋다더라' 얘기했던 그리고 큰 매형이 몇 년간 다녔던 공사를 골라 입사했다.

취업은 흙수저 탈출의 첫걸음이라 중요하다. 장사할 자본과 경험이 전무한 흙수저에게, 취업은 거의 유일한 돌파구다. 직장생활을 하며 인간적인 성장을 하였다. 실력을 쌓았고, 돈도 벌었다. 나에게 회사는 타고난 환경적 제약을 극복하고, 행복한 인생이막을 준비할 수 있게 해 준 고마운 곳이다.

# 직장생활과 자기계발

"책은 가장 조용하고 믿음직한 친구다.
그들은 가장 접하기 쉽고 가장 현명한 조언자며,
가장 인내심 많은 선생님이다."

_새뮤얼 스마일즈

## 진짜 사회로 입장

일자리 창출을 최우선 국정과제로 내 세운 새 정부 들어서도 14세부터 29세 사이의 청년실업률은 여전히 10%대 근처를 오르내리며 3%대인 전체 실업률보다 세 배나 높다. 맨손에 쥔 것이라곤 대학 졸업장 한 장밖에 없는 흙수저 출신 청년들에게 취업은 '생존의 문제'이다. 생활비푸어, 웨딩푸어, 하우스푸어, 베이비푸어, 메디푸어 등 온갖 필수 아이템에 '푸어'를 붙여도 어색하지 않은 게 요즘 흙수저 청년들의 삶이다. 청년들이 세끼 밥은 먹고, 조금은 여유 있게 살아야 꿈도 꾸고 결혼도 하며 자기계발도 할 것 아닌가.

1992년 7월 31일 전역하고 8월 3일 입사식이 있었다. '이제 나도 회사원이구나!' 공기업의 직원이 되어 사회라는 거대한 시스템의 일원이 되니 안심이 됐다. 고정적인 수입이 생겨서 그랬고, 큰 회사에 소속되어 보호막이 생겨 그랬다. 제도권 학교를 벗어나 독학하던 시절, 내내 나를 괴롭혔던 불안과 소외감을 떨쳐버리고 안정감을 느낄 수 있었다. 회사가 고마웠다. 학벌 · 인맥 이런 것 안보고, 시험으로만 공정하게 뽑아준 회사가 매우 고마웠다.

그런데 사람의 마음은 간사해서 마구 고마웠던 마음도 잠시, 한 달여의 신입사원 연수가 끝나갈 무렵 첫 월급이 통장에 입금되자 실망스러웠다. 생각보다 많이 적었다. 연수 기간 중 급여 관련 수업이 연수 끝나갈 무렵에 있었는데, 그 이유를 알 것 같았다. 연수 초기 실망하고 회사를 떠나는 사태를 최대한 막아보려는 방책이었다는 것을. '어쩐지, 연봉 얘기를 절대 안 하더라니…….' 더구나 동기들은 모두 군 장교 출신들 아닌가. 대위 출신도 있는데, 나도 군 시절 월급보다 훨씬 적어 놀랐으니까. 사람들이 좋다고 하던 공기업에 왔는데, 실상은 그랬다. 요샌 연봉 비교 사이트도 있고 정보가 풍부하지만, 그 당시엔 정보 접근이 쉽지 않아 인맥도 없는 나는 이런 현실을 미리 알 수가 없었다. '이거, 월급으로 부자 되긴 틀렸구나!' 그렇다. 극소수 초고액 연봉을 받는 직장인 빼고, 월급만으로 부자 되기는 참으로 어렵다. 이때부터 마음속에 재테크에 대한 관심이 생겨나기 시작했다. 당장 뾰족한 수는 없었지만 적어도 이때부터 재테크 공부를 해야겠다는 결심은 했었다.

1993년 이후 공기업 임금이 수년간 동결됐다. 1995년경에는 신입사원 퇴사율이 너무 높아 경영진의 주요 관심사가 될 정도였다. 가장 큰 원인은 낮은 급여 수준이었다. 연봉 수준이 우리나라 100대 기업 중 100위라는 발표도 있었다. 나도 신입사원 때부터 3년여 간 이직 고민을 많이 했었다. 밖에서 생각했던 것과 회사생활의 실체는 크게 달랐고, 연봉도 너무 적었다. 내 꿈과 이상을 펼 수 있을지 회의가 들었고, 낯선 회사생활에 적응하는 과정에서 갈등이 있었다. 내 첫 근무지였던 지방 작은 도시의 소규모 사업장에 근무하던 직원들의 구성상, 업무 부하가 고르게 분배되긴 어려웠다. 상대적으로 고 스펙 직원이었던지라, 장교 출신에 대졸 신입사원이었던 나에게 일이 많이 집중됐다. 거기다 당직도 일주일에 두 번씩 서야 해서, 육체적으로 힘들었다. 이직 고민을 많이 하게 됐다. 실제, 1년 이내 대졸 신입사원 퇴사율이 27.7%에 달한다는 2016년 통계도 있다.

임금동결이 몇 년 계속되자, 직원들의 사기는 땅에 떨어졌다. 마침내 신입사원 연수 기간에 선배 직원이 갓 입사한 신입사원들에게 퇴사를 권유할 정도에 이르게 됐다.

"뭘 하러 여기 왔어? 늦기 전에 얼른 딴 데 알아봐."

"네?"

회사에 비상이 걸렸고, 그 다음해 임금이 조금 인상되었다. '우는 아이 떡 하나 더 준다.'지 않던가. 그러다 1997년 11월 IMF 구제 금융을 받는 국가적 대재앙이 찾아왔고, 많은 사람이 일자리를 잃었다. 공기업도 예외는 아니어서 많은 선배가 이때 회사를 떠났다. 남은 직원들은 급여가 삭감됐다. 구조조정의 고통은 겪었으나, 그래도 공기업이니까 망하진 않았다. 남은 직원들은 IMF 위기를 벗어난 후 급여가 원상 회복됐다. 이때부터인 것 같다. 공기업 선호도가 높아진 것이. 이때 위로금 받고 퇴사했던 많은 선배가 빈곤의 나락으로 떨어졌다. 작은 건물이라도 산 사람들은 괜찮았으나, 주식투자가 문제였다. 사업을 벌였던 선배들도 그렇고.

나도 주식투자를 하지만, 일확천금을 노리는 투기 심리와 빚내서 투자하는 과도한 레버리지가 항상 문제다. 게다가 정보의 비대칭. 개인 투자자의 정보력과 분석력은 극히 제한적일 수밖에 없지 않은가. '지피지기(知彼知己) 백전불태(百戰不殆)'는 투자에도 적용되는 금과옥조다. 나 자신을 냉철히 분석해서 한계를 알아야 하고, 좋은 전문가를 찾아 도움을 받는 것도 리스크를 줄이는 방법이라 생각한다. 워런 버핏의 투자 제일 원칙이 '잃지 않는 투자' 아니던가. 우리 개인투자자들이 리스크 관리를 너무 소홀히 한다는 생각이 든다. 무엇보다도 과도한 욕심을 잘 다스려야 한다. 한비자가 지나친 욕심을 경계하며 한 말이 있다. '욕심이 크면 그 욕심을 채우기 위한 걱정이 생긴다. 걱정이 심하면 병이 되며 병이 나면 정신이 흐려진다. 또한, 정신이 흐려지면 생각이 옳지 못해 경거망동을 일삼게 된다. 경거망동은 화근을 불러일으키고 화근은 병을 깊게 만들어 위와 장을 상하게 한다. 결국, 욕심 때문에 육체도 정신도 성하지 못하게 되는 것이다.' 주식투자와 관련해서 뿐만 아니라 행복한 삶을 바란다면, 평생을 두고 마음속 깊이 새겨야 할 교훈이다.

첫 승진

입사해서 전남 광양의 작은 지점에서 첫 근무를 시작한 나는 3년 후 서울 본사에서 근무하게 됐다. 당시는 토요일 오전까지 근무하던 때라 주말부부 생활이 너무 힘들었다. 본사 간지 1년 만에 지방으로 자원해 다시 내려갔는데, 얼마 안 돼 입사 4년 만에 예상외로 빨리 차장 승진을 하게 됐다. 승진제도가 필기시험으로 돼 있어서 가능한 일이었다. 승진하면서 다시 전남 여수의 바닷가에서 근무하게 됐고, 자기계발을 위해 영어공부를 시작한 것도 이때부터였다.

빈손으로 결혼해 빚지고 살림을 시작했지만 공무원인 아내와 맞벌이를 했고, 회사생활 연차가 늘고 승진까지 하면서 연봉도 올랐다. 살림살이는 빈곤을 벗어났고, 차츰 저축이 쌓이기 시작했다. 입사해서 돈 벌어 승용차도 샀고, 전세지만 아파트에서 살림도 시작했으며, 아들인 큰아이와 딸인 둘째도 태어났다. 그 사이 아내도 승진하면서 우리 집은 제법 다복한 가정의 모습을 갖춰가고 있었다. 이때까지 우리 부부의 성공 코드는 '근면 · 성실 · 저축'이었다. 나는 술과 담배를 하지 않는다. 회사 갔다 오고, 틈나면 책 읽는 것 밖에 할 줄 모른다. 아내도 사치라고는 조금도 모르는 사람이다. 출근하면 열심히 일하고, 월급은 살림에 보태고, 남으면 저축하는 것밖에 모른다. 이러한 생활 습관 덕에 빚 갚고 어느 정도 종잣돈을 만드는 데 오랜 시간이 걸리지는 않았다.

처음 직장생활을 시작해서 IMF의 파고를 넘고 10여 년이 흐르자 어느 때부터인가 언론에서 공기업을 '신의 직장'이라 부르기 시작했다. '인간'으로 입사해서 '신'이 되었으니 주변의 부러운 시선이 느껴졌다. 잠시 약간의 우쭐함도 있었지만, 그 배경을 생각해보면 씁쓸한 일이다. 70년대와 80년대 우리 경제의 고도성장기에는 유수의 명문 대학 출신들이 거들떠보지도 않던 직장이니 말이다.

### 흙수저에게는 공기업이 최적의 선택지

앞서 언급했듯, 지방대학에 검정고시 출신인 나는 취업준비 할 때 대기업에 지원할 생각도 못 했다. 몇 곳에 시험 삼아 원서를 보냈지만, 회신조차 없었다. 그래서 지원한 곳이 필기시험으로 뽑는 공기업 군이었다.

입사 후 회사 내 대학동문 수가 단일대학 출신으로 2위인 것을 보고 놀라지 않을 수 없었다. 대부분 나와 비슷한 이유로 입사했을 것이라 짐작했다. 그 당시 소위 명문대 출신은 입도선매식으로 졸업하기도 전에 대기업 입사가 확정되던 시절이었다. 그러니 소위 SKY 등 명문대 출신이 공기업이나 공무원 시험에 관심을 둔단 얘기는 들어본 적이 없다. 그렇다고 내가 입사한 후 공기업 연봉이 대폭 오르고 복지가 좋아졌는가 하면 그런 것도 아니다. 정부의 임금인상 가이드라인을 어길 수 없는 공기업의 임금과 복지가 어떻게 크게 오르고 좋아질 수 있겠는가. 오히려 퇴직금누진제 폐지와 여러 가지 복지제도 축소로 나빠지면 나빠졌지.

공기업에 대한 일반의 인식이 신의 직장으로 바뀐 배경은 우리나라의 경제 성장이 둔화하면서 민간 부문의 좋은 일자리가 줄어든 때문으로 생각한다. 경제 상황이 변해, 상대적으로 공기업 처우가 좋아 보이게 된 탓이란 뜻이다. 그러니 근본적인 처방은 공기업 옥죄기가 아니라, 경제 활력을 살려내 민간 기업에 양질의 일자리를 많이 만들어 상향 평준화로 가는 것이리라.

가끔 공기업 채용 비리가 언론을 타기도 하지만, 그것은 극히 일부의 얘기일 뿐이다. 그것도 공채가 아닌 특채에서 주로 문제가 된다. 나는 여전히 공기업이나 공무원 시험만큼 학벌 없고 배경 없는 흙수저 출신들에게 공정하게 열려 있는 채용은 없다고 믿는다. 최근 입사한 후배 신입사원들을 봐도, 명문대 출신은 과거보다 늘긴 했지만 여전히 소수에 불과하다. 대부분은 성실하게 공부하고 맞춤형으로 입사 준비를 한 비명문대 출신의 평범하지만 성실한 대학생들이다. 흙수저에게 취업은 생존의 문제다. 구조적인 문제로 일자리가 부족한 것은 정부와 정치권, 학자 그리고 사회 각 분야 이해관계자들이 나서서 토론하고, 정책적 대안을 만들어 중장기적으로 해소해 나가야 할 과제다. 그러나 당장 생계 문제가 걸린 흙수저는 취업을 위해 노력하는 수밖에 없지 않은가. 나는 가진 거라곤 '성실'과 '노력' 밖에 없는 흙수저에게 공기업 취업을 적극적으로 권한다. 무엇보다 노력만으로 생존의 걱정을 벗어나 꿈을 꿀 수 있게 되고, 자기계발을 하며 도약을 준비하기에 상대적으로 좋은 곳이라 믿기에 그렇다.

### 자기계발의 시작, 회계원리 독학

개인차가 있겠으나 나는 '모험주의'를 좋아하지 않는다. 흙수저는 한번 실패로 재기불능이 될 가능성이 매우 높다. 결혼한 흙수저에겐 처자식이 있고, 미혼이더라도 책임져야 할 부모 · 형제가 있을 것이다. 한 번뿐인 인생 내 뜻대로 살겠다며 호기롭게 모험하다간 가족들의 생존마저 위태롭게 할 수 있다. 그렇다고 꿈을 포기할 순 없다. 꿈이 없으면 죽은 목숨이나 다름없으니까. 그래서 나는 대안으로 '주경야독'을 통한 자기계발을 선택했다.

직장인에게 자기계발은 숙명이다. 다만, 정도의 차이가 있을 뿐이다. 입사해서 맡은 첫 업무가 수금관리였다. 수금관리라고 해서 현장에 나가 돈 받고 그런 일은 아니었고, 현장 수금직원들을 독려하고 수금률을 관리하는 내근직이었다. 업무를 처음 배우면서 가장 낯선 일은 회계전표 작성이었다. 법대를 나와 차변 · 대변도 모르는 내가 수십억 원의 수입을 다양한 계정으로 분류하여 일일이 수작업으로 전표를 작성하자니 한숨만 나왔다. 물론 전임자들이 작성한 전표를 베껴가며 숫자만 바꾸면 되는 경우가 대부분이었기에 그때그때 넘어갈 수는 있었다. 그러나 조금만 변칙적인 상황이 발생하면 어떻게 손을 댈 수가 없었다. '그래, 회계를 공부하자!' 가까운 서점에 가 회계원리 책을 사서 독학을 시작했다. '독학이야, 뭐 내 전문이니까.' 틈틈이 공부해서 한 달여 만에 회계원리 책을 떼고 나니 자신감이 생겼다. 사실은 거래의 8요소를 이해하고 난 다음부터는 회계전표 작성은 일도 아니었다. 동료직원들에게 원리를 설명해 줄 정도가 됐으니까. 회계는 기업의 언어다. 언어를 모르고서는 소통이 되지 않는다. 자영업을 하건 직장생활을 하건 회계를 공부해야 하는 이유다. 나는 이때 회계 공부의 중요성을 깨닫고 언젠가는 회계사 자격을 따겠노라 마음먹었다.

### 핀란드 Aalto University Executive MBA 과정

입사 4년을 조금 지나 차장 승진을 한 후 2년 만에 Executive MBA 과정 위탁

교육을 갈 기회를 얻었다. E-MBA 과정은 순수 학생을 뽑는 MBA와 비교해서 기업의 현직 간부를 대상으로 하는 재교육 프로그램의 성격이 강하다. MBA 과정 선발은 영어 공부를 꾸준히 한 덕을 크게 봤다. 교육 과정 전부가 영어로 진행되는 관계로 영어가 중요한 선발 기준이었기 때문이다.

MBA 과정에서는 회계학, 경제학, 국제비즈니스환경이해, 마케팅, 기술경영론, 조직행동론, 전략경영론, 합작투자론, 재무관리론, 공기업경영론, 공급망관리, 국제전략경영론, 국제재무관리, 기업전략, 국제계약협상론 등 32학점을 이수하였다.

마케팅은 간단히 말해 수요를 관리하는 경영학의 한 분야로 정의된다. 광고・영업 등을 다루며, 고객의 잠재적인 욕구를 자극하여 표면상으로 끌어내는 행위를 포함한다. 기술경영론에서는 기술을 바탕으로 기업의 목표를 달성하기 위한 경영전략을 다룬다. 조직행동론은 조직환경에서 인간 행위, 사람들과 조직 간의 상호작용에서 나타나는 인간 행위, 그리고 조직 자체의 행위를 연구하는 분야다. 전략경영론에서는 기업의 경영전략을 다루고, 국제전략경영론은 국제비즈니스 환경에서 기업 경영전략이 연구 대상이다. 합작투자론에서는 주로 해외 투자론을 배웠으며, 공기업경영론은 사기업과 구별되는 공기업에 특유한 경영환경과 고려할 시사점을 다뤘다. 공급망관리는 부품 제공업자로부터 생산자, 도매상, 소매상, 그리고 고객에까지 이르는 물류의 흐름을 하나의 가치사슬 관점에서 파악하고, 필요한 정보가 원활히 흐르도록 지원하는 시스템을 연구한다. 국제재무관리는 국제 비즈니스 환경에서 재무관리 이론을 다룬다. 기업전략은 기업의 광범위한 활동범위에 대한 전략과 장기적인 수익 극대화를 위하여 기업의 개발과 발전을 어떻게 관리할지 다루는 이론이다. 국제계약협상론에서는 국제계약에서 알아야 할 협상이론과 스킬을 배웠다.

해외에서 박사학위를 받고 연구 활동을 하던 수준 높은 교수들로부터 경영학 이론 전반을 배우고, 국제 비즈니스 감각을 키울 수 있었던 좋은 기회였다. 나의 사고체계가 한 단계 업그레이드된 계기가 됐다.

아주대학교 경영학석사(회계학전공) 과정

E-MBA 과정을 수료한 후 재무 · 회계 분야 공부를 더 하고 싶어졌다. 회계학 전공 심화과정으로 아주대학교 경영대학원을 자비로 다녔다. 미국 공인회계사 시험(AICPA)도 준비할 생각이었다.

AICPA 시험과목은 Financial Accounting and Reporting(재무회계, 비영리회계), Auditing and Attestation(회계감사), Regulation(미국 상법, 세법), Business Environment and Concepts(기업지배구조, 경제학, 관리회계, 재무관리, IT) 등이다. 아주대 경영대학원에서 이수한 과목은 회계학개론, 재무회계, 관리회계, 경영통계, 재무관리, 투자론, 회계감사, 비즈니스법, 법경제학 등 32학점이었다.

재무회계는 기업의 재무상태와 경영실적 정보 등을 측정하여 주주 · 채권자 · 정부와 같은 기업 외부 이해관계자에게 재무정보를 제공하는 과정이다. 이에 비해, 관리회계는 경영자의 내부자원 관리에 대한 의사결정과 부서 및 개인의 실적 평가를 위해 회계 정보를 구별 · 측정 · 분석하는 과정이다. 경영통계에서는 통계학의 기본개념과 이론, 그리고 경영에서 나타나는 문제를 해결하기 위해 필요한 경영자료의 통계적 분석 방법을 배웠다. 재무관리는 경영 활동에 있어서 자금을 조달하고 효율적으로 운용하는 방법에 관한 이론을 다뤘다. 투자론에서는 주식, 채권, 파생상품 시장 및 금융상품, 포트폴리오와 균형이론 등을 배웠다. 회계감사는 타인이 작성한 회계기록에 대하여 독립적인 제삼자가 분석적으로 검토하여, 그 적정 여부에 관한 의견을 표명하는 절차다. 비즈니스법에서는 미국의 회사법, 물품매매법 등 비즈니스에 관련된 법규를 배웠다. 끝으로, 법경제학은 법을 경제학 방법론을 통해 설명하려는 학문인데, 여러 관련 경제주체들이 법 · 제도 · 정책 등에 어떻게 반응하는가를 예측하고, 그들을 평가하는데 유익한 행동이론과 지침을 제공하는 것을 목표로 한다.

공부해 놓고 사정이 생겨 AICPA 시험 응시는 미뤄놓은 상태지만, 공부한 것이 어디로 갔겠는가. 회사업무에 전문성을 더해주는 것은 물론, 개인적으로도 주식투자, 부동산투자 등 재테크 수준을 높이는데 큰 도움을 받았다. 경영지도사, 가맹거래사 등 국가 전문자격 시험을 준비할 때도 도움이 됐고, 훗날 캐나다 영주권을 받는데 결정적 기여를 했음도 물론이다.

### 호주 공인회계사 자격 취득

한때, 나는 호주 이민을 준비했다. 이민 신청에 필요해서 호주 공인회계사 자격도 취득한 것이다. 정확히는 호주 공인회계사협회 정회원 멤버십 취득이 맞는 표현이다. 호주는 세 개의 회계사 협회 중 하나 이상의 멤버십을 취득하면 회계사로서 활동할 수 있다. 세 개의 회계사 협회는 Institute of Chartered Accountants in Australia, CPA Australia, Institute of Public Accountants이다.

한국이나 미국 등 다른 나라에서 딴 학점도 평가절차를 거쳐 인정해준다. 호주 대학의 회계학과에서 취득하는 학점과 동등한 수준 이상의 학점을 취득한 것으로 인정되면 멤버십을 받을 수 있다. 나는 Institute of Public Accountants의 정회원(MIPA) 자격을 2009년 취득했다.

이때 호주 이민준비가 계기가 돼 결국에는 캐나다 영주권을 받았고, 아이들은 캐나다로 유학 겸 이민을 하게 되었다. 영주권 심사를 받을 때 주한 캐나다 대사관에서 경력, 학력 등 여러 가지 자격조건에 대한 체크를 하는데, 미심쩍은 부분이 있으면 확인 전화를 한다. 나는 전화 한 통 받지 않았는데, 호주 공인회계사 협회 멤버십도 큰 역할을 했을 것이다.

### 공인노무사 시험 도전

나의 첫 근무지는 전남 바닷가에 있는 소도시 광양이었다. 지점은 개설된 지 2년여밖에 되지 않은 신설 사업장이었다. 직종별, 출신별 다양한 사람들이 모여 있어서 노동조합원 구성이 다양했고, 분회 위원장 선거를 앞두고 계파 간 반목이 심했다. 조합규약 해석을 놓고 다툼도 있었고, 사측의 지배개입 문제로 언쟁도 있었다. 노동조합 문제가 현장에서는 매우 중요한 일임을 알게 됐다. 이때 경험이 공인노무사 시험을 준비하게 된 계기가 됐다.

시험과목은 1차에서 노동법, 민법, 경제학을 보고, 2차에서 노동법, 인사노무관리론, 행정쟁송법(행정심판법, 행정소송법)을 봤다. 지금은 1차에 영어(토익 등 공인영어 성적으로 대체)와 사회보험법이 추가되었고, 2차에 경영조직론이 선택과목으로 추가되었다. 1차 시험은 두 달 정도 공부해서 합격했고, 2차는 다음 해를 대비해서 조금씩 공부했다. 신입사원 시절 맡은 업무가 민원인을 상대하는 일이어서 퇴근 무렵이 되면 파김치가 됐다. 퇴근 후엔 아무것도 할 수 없는 날이 많았다. 시골이라 학원도 없었고, 지금처럼 인터넷 강의가 있던 시절도 아니어서, 체계적인 공부가 어려웠다.

어쨌든 시간은 흘렀고, 틈틈이 공부해서 다음 해 2차 시험을 응시하러 갔다. 행정쟁송법은 예상을 벗어나지 않아 잘 봤으나, 나머지 과목은 아는 문제와 모르는 문제가 섞여 있어 마음을 비우고 아는 것만 써 내려갔다. 손에 땀이 나고 손목에 쥐가 날 정도로 정신없이 써 냈고 시험이 끝나니 홀가분했다. 결과는 낙방. 과락 없이 평균 60점을 넘어야 하는데 과락 없이 평균 54점. 행정쟁송법은 61점이었으나 인사노무관리론의 점수가 겨우 면 과락 하면서 평균을 많이 깎아 먹었고, 노동법도 60점에 못 미쳤다.

비록 시험에 떨어졌지만, 이때 공부로 노동법과 인사노무관리에 대한 개념은 확실히 잡을 수 있었다. 훗날, 총무부장을 할 때 크게 도움이 됐다. 특히, 자영업 창업 등 사람을 채용해서 일을 하는 경우 근로기준법 등 노동법 관련 규정은 반드시 알아야 한다. 위반할 경우 자칫 형사 처벌 대상이 될 수도 있고, 분규에 휘말리면 사업 자체가 큰 어려움에 처할 수 있기 때문이다. 지금에 와서는, 좀 더 시간을 투자해서 한 번 더 보고 그 때 공인노무사 자격을 땄으면 좋았을 걸 하고 후회한다. 그때만 해도 도입 초기라 노무사에 대한 인지도가 높지 않았다. 따도 그만 안 따도 그만 정도로 느슨하게 생각했던 것이 낙방의 원인이었다. 지금은 시험이 어려워졌을 뿐만 아니라 공인노무사의 위상도 크게 높아졌다.

자격증은 언제 써먹을지 모르지만 안심이 되는 보험과 같다. 도입 초기에는 제도 정착을 위해 시험도 쉬울 수밖에 없다. 좋은 자격제도가 생기거든 도입 초기에 따도록 해보자.

### 영어는 피할 수 없다

첫 근무지에서 3년을 보내고 서울 본사로 갔다. 내가 간 부서는 해외에서 석탄을 수입하거나 석유와 LNG를 구매하고 재고를 관리하는 곳이었다. 1995년 당시 3조 원을 넘는 막대한 예산을 쓰는 부서였다. 그 부서의 핵심은 석탄 수입 업무였고, 해외 석탄 공급회사와 가격 협상을 하거나 광산 개발을 하는데 영어가 필수였다.

내가 입사할 당시에는 토익이 도입된 지 얼마 안 된 때여서 토익점수가 필수 조건은 아니었고, 신입사원을 대상으로 평가만 이뤄졌다. 난생처음 입사해서 본 토익시험 점수는 505점. 지금은 중학생도 따는 점수지만, 그때는 동기 대부분이 토익이란 걸 처음 접해본 터라 내 점수로도 상위권에 속했다. 시골 사업장에 근무할 때는 영어를 쓸 일도 없고 주변에 영어를 하는 사람도 없어서 아무 관계가 없었으나, 본사에 와서 보니 해외 유학파도 있고 영어 못하는 사람은 기가 죽을 수밖에 없었다. '아하, 영어 공부를 해야겠구나.'

내 영어 스킬 수준은 전반적으로 낮았지만, 그중 가장 취약한 분야가 리스닝과 회화였다. 과거엔 문법과 독해만 하면 영어 시험에 문제가 없었기에 회화가 약할 수밖에 없었다. 회화 수준 향상을 위해 처음 시도한 것이 당시 유행했던 영어 테이프 듣기였다. 기본적인 표현들로 평이한 수준이었지만, 나는 그것도 어려워서 여러 번 포기할 뻔했다. 하지만 직장생활을 하면서 영어를 하지 않고는 버틸 수가 없을 것 같았다. 한번 듣고 두 번 듣고, 출퇴근 시간을 이용해 다섯 번 이상은 들었을 것이다. 해 본 사람은 알지만, 어학 실력이란 것이 공부한다고 금방 눈에 띄게 늘지는 않는다. 영어 학습 전문가는 영어 실력이 계단식으로 상승한다고 말한다. 그러니 일정 시간 이상 학습량이 쌓이지 않으면, 전혀 실력이 늘지 않는 것으로 느낄 수밖에 없다. 여기서 많은 사람이 절망하고 포기한다. '난 영어에 소질이 없나 봐!' 과연 그럴까? 생각해보자. 미국 사람은 어린아이도 영어를 하고, 거리의 홈리스도 영어로 말한다. 머리의 좋고 나쁨이나 소질의 문제가 전혀 아닌 것이다. 영어에 노출된 시간과 사용빈도에 비례하는 것이니, 꾸준히 노력하면 누구나 잘 할 수 있단 얘기다. 이렇게 말하는 나도 영어 공부를 하다말다 중단한 것이 수십 번이 넘는다. 의심하거나 방황하지 않고 줄기차게 공부했으면 원어민처럼 잘 할 수 있었을 텐데. 아니, 적어도 지금 보다는 훨씬 잘 할 수 있었을 텐데 하는 후회를 지금도 하고 있다. 어쨌든 중간 중간 중단은 있었으나 완전히 포기하진 않았고, 간헐적이나마 영어 학습은 계속했다. 영어 테이프를 여러 번 듣고 난 후 토익 리스닝 점수가 대폭 상승해서 700점대에 들어섰다. 고민 끝에 고른 토익 교재를 끝까지 한번 풀어본 후에는 토익점수가 800점을 훌쩍 넘었다. 900점대에 진입한 것은 영어로 수업을 진행했던 E-MBA 과정을 마친 후였다. 토익 문제집을 다 푼 후로는 지금까지 한 번도 토익 수험서를 공부한 적이 없다. 그런데도 E-MBA 당시 하루 여섯 시간 씩 영어에 계속 노출되니 독해력과 청취력이 나도 모르는 사이 많이 향상됐던 것이다. 역시 어학실력은 시간의 문제이다. 정직하게 시간을 투자한 만큼 효과가 나게 돼 있다.

E-MBA 과정 때의 영어수업 경험은 훗날 미국 유학을 낙제하지 않고 무사히 마칠 수 있게 한 밑거름이 됐다. 지금은 출퇴근 시간을 이용해 미국 공영 라디오 방송 NPR News를 들으며 따라서 말하기 연습을 한다. 처음에는 전혀 안 되지만 몇 달이고 몇 년이고 계속하면 조금씩 된다. 독자 여러분도 믿고 시도해 보기 바란다. 지금은 스마트폰으로 인터넷을 이용 방송을 실시간으로 들을 수 있으니 영어 학습에 얼마나 좋은 환경인가.

나는 출퇴근 시간이 영어학습에 최적의 시간이라고 믿는다. 하루 왕복 1시간은 결코 짧은 시간이 아니며, 이때만큼 집중이 잘 되는 시간도 없다. 어차피 버리는 시간이니 부담도 없다. 바쁜 일상에서 하루 한 시간을 따로 빼 영어방송을 듣는 것, 생각보다 실천이 쉽지 않다. 출퇴근 시간을 적극적으로 활용해 영어공부는 꼭 하길 권한다.

성균관대에서 법학박사 학위 취득

회사에서 유학 지원 제도를 시행한 첫해 미국 유학의 기회를 얻었다. 한발 앞서 토플 시험을 준비한 덕이었다. 처음 시행한 제도라 자격요건을 갖춘 지원자가 나 밖에 없었기 때문에 가능했다. 2년의 시간이 주어졌고, 그 시간을 최대한 활용하기 위해 나는 조지워싱턴대와 에모리대 로스쿨을 각 1년씩 다녔다. 한 학교에서 과정을 길게 들을 수도 있었지만, 학교를 옮기기로 했다. 미국 로스쿨에서 법학석사 학위를 취득했고, 미국 뉴욕주 변호사 자격도 땄다.

유학을 마치고 돌아와서 회사에 기여할 자리를 원했지만, 뜻대로 되지 않았다. 지방 사업장에 발령받아 실망이 컸다. 그렇다고 실의에 빠져 시간 낭비를 할 순 없었고, 마음을 추슬러 집중할 대상이 필요했다. '기왕이면 나를 발전시킬 수 있는 목표를 찾아보자.' 학부 때 은사이면서 유학 갈 때 추천서를 써준 교수님이 생각났다. 찾아뵙고 박사과정 진학을 상의했다. 흔쾌히 받아주셔서 소정의 입학전형을 거쳐 성균관대 박사 과정에 진학하게 됐다. 교수님은 상법의 권위자였기에 자연히 나의 전공도 상사법이 됐다. 2007년 3월에 입학해서 3년간은 박사과정에 집중했고, 그 덕에 회사에서 맛봤던 좌절감은 다 잊어버릴 수 있었다. 이민을 생각해서 호주 공인회계사협회 멤버십을 취득하고, 후에 캐나다로 방향을 틀어 아이들을 토론토로 보낸 것도 이 시기였다. 일반대학원도 대부분 직장인이 다니기 때문에 야간에 수업을 몰아서 하고 있었다. 지방에서 올라가 참여하느라 늦는 경우가 많았지만, 어떻게든 다녔다. 내 발표 수업 때는 휴가를 내기도 하면서 빠짐없이 참여했다. 그 덕분에 과정을 무사히 마칠 수 있었다. 첫 2년은 코스워크(coursework)이고, 3년 차에 논문을 쓴다.

박사 과정에서 이수한 과목들은 비교상법, 비교보험법, 상법, 비교계약법, 회사법, 경제법, 보험법, 국제거래법, 상법 기본이론, 국제계약법, 미국독점금

지법이론, 유가증권법(사례연구) 등으로 총 36학점이었다. 박사과정 수업은 거의 세미나 식으로 진행된다. 학생들이 연구해 와서 발표하고 토론이 이어진다. 학부 때 과목과 같은 명칭이라 하더라도 판례를 분석하고 심화연구가 이뤄진다. '비교'가 붙은 과목들은 영미나 독일, 일본의 법과 비교해서 연구하는 과목들이다. 또 필수적으로 외국어로 진행되는 수업을 2과목 이상 듣게 돼 있었다. 학부 때는 독법원강을 들었었는데 박사과정 때는 일본어 법률 교재로 진행되는 수업을 들었다. 덕분에 일본어 실력도 제법 갖추게 됐다.

2년의 코스워크와 1년의 논문 작성 기간 동안 열심히 공부했다. 기간이 늘어지면 상황변화로 학업을 중단해야 할지도 모르기 때문에 마음이 항상 급했다. 논문도 1년 안에 끝내야 했다. 박사학위 논문을 쓰기 전에 학회지에 두 편 이상의 논문이 실려야 했고, 외국어와 전공과목 자격시험도 통과해야 했다. 논문을 쓰기 전 갖춰야 할 요건이 이렇게 많다. 박사학위는 그냥 주어지지 않는다. 논문은 사실 주제 정하는 것이 가장 어렵다. 의욕만 커서 너무 앞서가는 주제를 정하면 고생만 하고 논문을 완성하지 못할 수도 있다. 그렇다고 너무 뻔한 주제를 고르면 차별화가 안 돼 통과가 어렵다. 나는 '공기업 지배구조 개선에 관한 법적 연구'로 정했다. 기업 '지배구조'는 회사법 분야의 핫 이슈다. 관련 연구가 너무 많다. 그러나 공기업의 지배구조 관련 연구는 없었다. 국내에는 선행연구가 거의 없었기 때문에 해외 자료를 많이 봤다. 그나마 국내 연구에서는 행정법 교수님들이 쓴 공기업 관련 논문이 많은 참조가 됐다. 내 연구 분야가 회사법과 행정법의 경계에 있었기 때문에, 학위논문 심사위원도 상법 교수님과 행정법 교수님이 함께 참여했다. 논문심사만 4회 진행됐다. 교수님들 지적사항을 반영해서 수정하면서 추가 심사를 받았다. 논문의 질이 떨어지면 지도교수님 얼굴에 먹칠하는 것이기에, 신경이 많이 쓰였다. 심사과정에서 보류되어 한 학기나 두 학기 추가 연구가 필요한 경우도 많다. 다행히 나는 보완을 조건으로 통과시켜주는 쪽으로 결론이 났다. 전업 학생이 아닌 직장인이라는 점도 고려했을 것이다. 논문 집필은 인간의 지적행위 중 가장 높은 단계에 속한다고 한다. 박사논문은 필수적으로 학문연구의 독창성과 깊은 전문지식을 요구한다. 박사학위 논문을 쓰는 과정에서 또 한 번 나의 지적 능력이 업그레이드됐음을 느꼈다.

### 나에게 자기계발이란

직장생활을 하면서 나의 자기계발 방향은 크게 영어, 경영, 법률 세 분야였다. 영어는 가랑비에 옷 젖듯 꾸준히 하는 거로 계획을 세웠고, 경영과 법률은 학교나 학원에서 배우거나 관련 서적을 두루 섭렵하기로 했다. 법률 분야야 법대를 나왔으니 관련 서적을 읽는 데 어려움이 없었지만, 경영(회계, 재무 포함) 분야는 대학원도 다니고 독학도 하면서 쌓인 지식이 밑거름이 된 후에야 독서에 속도를 낼 수 있었다.

직장생활에 필요한 배경지식 습득은 물론 관련 자격증 취득과 퇴직 후 대비를 위해서도, 자신에게 맞는 분야를 정해 꾸준히 공부하고 노력할 필요가 있다고 믿는다. 직장생활에서 자기계발은 필수적이지만, 어느 분야로 어느 정도까지 할 것인지는 자신의 직장생활 비전이나 인생 목표, 그리고 적성에 따라 고민해 볼 문제다. 기본적인 자기계발이야 누구에게나 필요하지만, 조직에서 인정받기 위해 필요한 능력은 다양하기 때문에, 자신의 인생관과 목표에 따라 취사선택을 잘 해야 한다. '관심 분야와 회사 업무가 딱 들어맞지 않는다면 어떡하지?' 나는 내 관심 분야를 선택했다. 한국인 최초로 휴렛팩커드 엔터프라이즈서비스 아시아태평양지역 조세재정총괄본부장(부사장) 겸 DXC 테크놀로지

엔터프라이즈서비스 코리아 대표이사가 된 전중훤 씨도 자신의 전문성을 강화하기 위해, 서울시립대에서 국제조세 분야로 박사학위를 받았다. 그도 고물상의 아들로 어렵게 자라 자수성가한 인물이다. 전 대표는 자신이 담당한 업무와 대학원 공부가 일치하여 시너지 효과가 커진 경우다. 업무를 하며 맞닥뜨린 현실의 케이스를 학교로 가져와 이론적으로 분석하는 과정을 반복하였으니, 전문가가 되지 않을 수 없었을 것이다. 이상적인 자기계발 방법이라고 생각한다. 나의 경우 가장 아쉬웠던 부분이기도 하다. 나는 박사 학위까지 받은 관심 분야와 회사 업무가 연관성이 적어서, 이론과 실무를 보완적으로 발전시키기 어려웠다. 그래서 그 연관성을 보완하고 활용도를 높이기 위해, 자격증 취득 등 추가적인 자기계발이 필요했다. 이제는 그렇게 쌓은 전문성을 활용할 인생 이막을 차근차근 준비하고 있다.

평생에 걸친 자기계발. 나에게 자기계발은 '성장', '미래' 그리고 '행복'이다. 다양한 분야의 공부를 통해 지적 능력이 개발됐음은 물론, 인격적 성숙도 함께 이뤄졌다. 한마디로 '성장'의 과정이었다. 그러한 성장을 통해 이뤄낸 성과는 하나하나 고스란히 나의 '미래'가 되었다. 그 과정은 내 인생을 더욱 소중히 여기고 열심히 살 수 있게 해 준 원동력이 되었고, 과정 자체가 '행복'이었다. 도전은 내일로 미루면 안 된다. 작심삼일에 그치더라도 오늘 시작하자. 삼일 후에 다시 시작하면 된다. 시작의 반복이 곧 도전이다. 좀 다른 얘기가 될 수 있으나, 내 주위에도 금연을 새해 목표로 삼는 사람이 많다. 특정한 날을 정해 금연하겠다며 갖고 있던 담배를 미리 피워댄다. 그렇게 해서 금연에 성공한 사람을 보지 못 했다. 해야겠다고 마음먹었다면, 지금 바로 시작하자.

## 워라밸로 행복 찾기

"먼저 핀 꽃은 먼저 진다.
남들보다 먼저 공을 세우려고 조급히 서둘 것이 아니니다."
_채근담

### 직장에서 죽을힘을 다하진 말자

"우리 아들은 커서 뭐가 되고 싶어?"

"응, 나는 커서 훌륭한 사람이 될 거야. 돈도 많이 벌어서 엄마 · 아빠 호강시켜 줄 거야."

혹시 이런 대화가 기억나지 않는가? 나는 나이 마흔이 넘어서 이 대화가 문득 떠올랐다. '삶을 위한 직장인가, 직장을 위한 삶인가?' 이런 고민을 한참 하던 때였던 것 같다. 검정고시를 거치고 어렵게 취직해서 직장생활을 시작하던 때, 나는 직장에서 성공이 인생의 성공이라고 생각했다. 열심히 일해서 인정받고, 빨리 승진해서 높이 올라가면 행복한 인생, 성공한 인생이 될 것으로 믿었

다. 그러다 이런 생각이 들었다. '내가 본말이 전도된 삶을 살고 있구나.'

직장생활이 시작된 후론 모든 의사결정에서 직장 일이 최우선이었다. '회사 일이 바쁘니까' 부모님도 못 찾아뵙고, 아이들과 놀 시간은 미루고, 집안일은 아내에게 떠넘기고……. 이렇게 살고 있었다. 하지만, 학교 졸업하고 취직할 때 목적은 부모님께 효도하고, 가족과 오순도순 행복하게 살기 위한 것이 아니었던가? 내가 워커홀릭이 되고, 직장에서 온 힘을 다한다면 고속 승진을 할 수 있을지 모른다. 아무리 그래도, 나보다 더 빨리 더 높이 승진하는 동료 · 후배는 나오기 마련이다. 그때 우리는 좌절하거나, 아니면 회사 일에 더 몰두하게 된다. 경쟁에서 이기기 위해. 여기서 우리는 근본적인 질문을 해야 한다. '성공의 기준을 어디에 둘 것인가?'

직장에서 '죽을힘'을 다하진 말아야 한다. 내 부모, 내 가족, 그리고 무엇보다 내가 더 중요하지 않은가. 바야흐로 지금은 '워라밸' 시대다. 워라밸은 '워크 앤드 라이프 밸런스(Work and Life Balance)'의 줄임말인데, 요즘은 구직자의 취업 기준 첫 번째가 정시 퇴근이라고 한다. 직장생활을 인생의 일부로 보고, 자신의 삶을 일보다 우선순위에 두는 추세가 뚜렷한 것이다. 퇴근 후 혼자 있는 시간을 갖는 '혼족'이 늘고, 독서모임 등을 통해 자기계발에 투자하는 사람도 많다. 혼자만의 시간을 가지면 다른 사람의 요구에서 해방되고, 사회적 압력에서도 벗어난다. 타인 속의 나를 신경 쓸 필요가 없고 자아정체감이 확립되니, 내가 세상의 중심이 된다. 한 번 뿐인 인생을 즐기자는 욜로(You Only Live Once)족의 등장은 1995년 이후에 출생한 Z세대의 차별적 특성이다. 근면 · 성실 · 저축을 미덕으로 여겼던 기성세대와는 확연히 다르다. 자아 정체감은 자신의 성격과 취향, 가치관, 능력, 인간관, 세계관, 미래관 등에 대하여 확고하게 이해하는 개인적 심리상태를 말한다. 자아 존중감은 자신에 대한 긍정적 또는 부정적

평가와 관련하여 자신을 얼마나 가치 있는 사람으로 보는지의 정도를 말하는데, 이는 자아 정체감 확립을 전제로 한다. 자아 존중감이 높으면 자신을 있는 그대로 수용하며 자신의 인간적인 약점을 잘 인내하고, 환경이나 사회적 관계에서 안정감을 느낀다. 역경을 이겨나갈 준비태세도 잘 갖추며, 실패 후 자신을 다시 일으켜 세우는데 유리한 특성을 갖는다. 사람이 행복하기 위해서는 자신이 원하는 일, 잘 할 수 있는 일을 해야 한다. 이를 위해서는 먼저 자신이 누구인지 제대로 파악할 수 있게 자아 정체성이 확립돼야 한다. 그리고 자신을 사랑하고 아끼는 자아 존중감이 높아져야 한다. 결국, 일과 삶의 균형을 추구하는 '워라밸'이 우리를 더 행복하게 해준다는 의미이다.

내 경쟁상대는 '나' 자신

우리는 대학입시 경쟁, 입사 경쟁을 거쳐 직장인이 되면 다시 실적 경쟁과 승진 경쟁을 해야 한다. 나는 직장에서의 경쟁이 한번 올라타면 내려올 수 없는 '호랑이 등에 올라탄 것과 같다'는 생각이 들었다. 경쟁에서 이겨야만 내가 원하는 것을 얻을 수 있고, 낙오하면 끝이라고 생각했으니까. 그러다 이런 생각이 들었다. '이 경쟁은 끝이 날까?' '경쟁에서 이기면 내가 원하는 삶을 살 수 있을까?' 아닐 것이다. 내가 스스로 멈추지 않으면, 내 생각을 바꾸지 않으면 경쟁은 끝나지 않는다는 것을 깨달았다. 경쟁에서 이겨도 다시 경쟁해야 하니 경쟁은 끝나지 않는다. 내가 원하는 삶을 살기로 결단하지 않는 한, 그런 날이 스스로 찾아오는 일은 없다. 아니, 있더라도 그때는 너무 늦은 후일 것이다.

중요한 건 우리가 '어떤 기준'으로 자신을 평가하느냐이다. 나는 나이 사십이 넘어 오십이 다 돼 갈 무렵 결심했다. 타인과의 경쟁을 그만 두기로. 그때부터 나의 경쟁상대는 '나' 자신이 되었다. 어제의 '나'보다 조금이라도 더 나은 오늘의 '나'가 되면, 나는 이긴 것이다. 이후 타인을 경쟁상대로 생각할 때 겪었던 갈등과 번민은 사라졌다. 항상, 평정심을 유지할 수 있게 됐고, 하루하루가 즐겁게 됐다. 왜냐하면, 나는 매일 이기고 있으니까.

'오늘은 책 한권을 읽었으니, 어제의 나 보다 그 만큼 성장했다.'

'오늘은 영어 공부를 했으니, 어제의 나보다 발전했다.'

'오늘은 자격증을 땄으니, 어제의 나보다 그만큼 나아졌다.'

그동안 해 오던 자기계발에 의미가 더해졌다. 매일 이기는 삶이 됐고, 그만큼 더 행복해졌다. 과거처럼 경쟁은 계속되지만, 의미는 전혀 다르다. 매일 내가 이길 수 있는 경쟁, 이기면 행복한 경쟁이 됐으니 말이다. 누군가 당신이 행복하냐고 묻는다면, 대부분 남과 비교부터 한다. 아마도 자기가 사는 아파트 평수가 더 넓고, 자기 차가 더 비싸고, 자기 아이들이 더 좋은 학교에 다니면 '잠시' 행복해할 것이다. 이렇듯 내가 아닌 '남'이 기준이 되니 '늘' 행복할 수는 없다. 세상엔 나보다 잘난 사람 천지 아닌가. 그러니, 내가 항상 행복해지는 확실한 비결은 비교 대상을 바꾸는 것이다. '남'이 아닌 '어제의 나'로. 도보 여행을 하며 얻은 삶의 교훈과 지혜를 사람들에게 전파하는 프랜시스 타폰도 같은 생각을 했던 것 같다. 로버트 K. 쿠퍼도 그의 책에서 비슷한 얘길 하고 있지만, 사실 내 생각의 뿌리는 대학(大學)의 '일일신우일신(日日新又日新)'에 있다. 중국 은나라의 탕 임금이 세수할 때마다 대야에 새겨진 이 글을 보고 자신의 마음을 씻는 것처럼 새롭게 다짐했다고 한다. 이를 '매일매일 지성과 덕성이 나아지도록 학문을 배우고 익히며, 덕을 세워 발전된 삶이 되도록 끊임없이 노력하라.'는 뜻으로 새기면, 내 말과 의미가 같다.

## 우리 행복은 어디에

우리나라는 2004년 주 40시간 근무제를 도입하였지만, 지금도 OECD 국가 중 멕시코 다음으로 가장 일을 많이 하는 나라다. 2016년 OECD 회원국 35개국 기준 취업자 1인당 한국인의 근로시간은 2,069시간으로 OECD 평균 1,764시간보다 305시간이나 많다.

2017년 우리나라 경제성장률은 3.1%로 세계 경제성장률 3.5%보다 낮다. 우리나라 출산율은 2017년 기준 1.26명으로 미국 CIA의 월드 팩트북 조사 대상 국가 224개국 중 219위로 OECD는 물론 전 세계에서 꼴찌 수준이다. 자살률은 또 어떤가. 우리나라는 2016년 기준 인구 10만 명 당 28.7명으로 OECD에서 단연 1위이다. 2위 일본의 18.7명과 큰 차이를 보이고, 2003년 이후 OECD 1위의 불명예를 한 번도 벗어난 적이 없다. 범위를 넓히면 30명을 훌쩍 넘긴 스리랑카나 리투아니아 같은 나라가 있기는 하다. 한편, 유엔 지속 가능 개발연대(SDSN)에서 2017년 발표한 행복지수는 우리나라가 56위로 우즈베키스탄(47위), 일본(51위)보다 낮고 루마니아(57위), 볼리비아(58위), 투르크메니스탄(59위), 카자흐스탄(60위)과 비슷한 수준이다. 모두가 예상하듯 1위는 노르웨이, 2위는 덴마크로 북유럽 국가들이다.

통계가 말해주듯 일은 많이 하고, 경제성장률은 낮으며, 아이는 안 낳고, 자살은 많이 하니 우리가 어떻게 행복할 수 있겠는가. 1992년 내가 처음 직장생활을 시작했을 때는 토요일 오후 1시까지 근무는 물론 1년에 겨우 6일 주어진 휴가도 실제는 3일이나 4일 정도만 가고 나머진 반납했다. 연월차 휴가도 제도만 있었지 실제 휴가를 쓰는 사람은 없었다. 세월이 흘러 주 5일 근무도 정착됐고, 지금은 연차휴가도 회사가 먼저 가라고 권장할 만큼 분위기가 바뀌었지만, 여전히 일은 많고 적게 쉬며, 삶은 팍팍하다.

'이런 환경에서 우리의 행복은 어디서 찾아야 할까?' 이제는 우리 모두 과거에 익숙했던 직업윤리를 버릴 때가 됐다. 야근은 기본이고, 툭하면 밤을 새거나 주말에 나와 '죽을힘'을 다해 직장에 충성하는 것이 당연하다 생각했던 그 직업윤리 말이다. 행복해지려면 출세해야 하고, 출세하려면 승진해야 했으니, 승진에서 뒤처지면 인생도 끝나는 것처럼 실의에 빠져 스스로를 채찍질했던 우리가 생각을 바꿀 때다. 나도 한 때 그렇게 살았기 때문에 그 폐해를 잘 안다. 죽을힘을 다해 일하다가 잘못하면 정말 과로사한다. 몸과 마음이 병들고, 나와 가족의 삶은 삭막해진다. 지금은 '워라밸'이다. 사회 분위기도 그런 방향으로 흘러가는 것 같아 다행스럽다. 기계가 인간 노동을 대신하는 시대에 사람이 기계처럼 일할 필요는 없다. 인간은 사람답게 창조적이며 감성적인 일에 집중해야 하고, 직업윤리도 다시 정립해야 한다. 일과 삶이 균형을 이루고, 일하기 위해 인간이 존재하는 것이 아니라, 인간을 위해 일하는 것이라는 상식이 존중되는 직업윤리로 말이다. 그래야 인간의 창조성도 살아난다. 그렇다면 월급쟁이는 주인 정신이 아닌 종업원 정신으로 일하고, 월급 받는 만큼만 일하는 것이 맞다. 죽을힘을 다해 회사에 기여한 사람을 인정하고 대우하는 건 회사가 할 일이다. 그걸 원하는 사람은 그렇게 살아야 한다. 그러나 종업원 정신으로 월급 받는 만큼만 일하는 사람을 비난해선 안 된다. 근로계약도 분명히 계약이고, 계약은 공평해야 하니까. 그러니 종업원 정신이 회사원의 나태함과 도덕적 해이를 정당화하는 것이 아님도 분명하다. 계약은 양 당사자 모두에게 공평해야 하니까 말이다.

우리는 직장생활을 통해 자아실현을 할 수 있다고 배웠다. 자아실현이라는 말은 내 안에 있는 뭔가 이상적인 모습을 현실에서 구현한다는 뜻일 것이다. 자기 발전을 가져온다는 점에서는 분명히 긍정적이다. 다만, 자아실현을 타인

과의 무한경쟁을 정당화하는 의미로 왜곡해서는 안 된다. 자아실현은 끝이 없는 것이어서, 계속되는 자기 발전과 향상 자체가 곧 실현이지, 종착지가 있는 것은 아니라고 믿는다. 이것이 인생을 살면서 자기계발에 도움이 되는 자아실현 노력을 하지 말란 뜻은 아니다. 문제는 직장에서 '죽을힘'을 다해 자아실현을 하려고 할 때 생긴다. 그 자아실현이 '최고경영자'가 되는 것이라면 더더욱 그렇다. 바닷물의 소금 농도는 3.5%에 불과하지만, 그 소금이 있기에 바다는 썩지 않는다. 만약, 그 농도가 35%가 된다면, 바다는 생명력을 잃어버릴 것이다. 인생을 망치는 건 '과욕'이다. 과욕은 버리고 집착은 내려놓자. 작은 여유를 즐기고, 다소 부족함에 만족하는 지혜를 발휘하자. 다소 부족함이 우리 인생의 부패를 막는 소금이 돼 줄 것이다. 또한, 자아실현은 직장에서만 할 수 있는 것이 아니다. 다양한 곳에서 여러 가지 방법으로 할 수 있다.

이쯤에서, 행복지수 1 · 2위인 노르웨이와 덴마크 사람들은 왜 그렇게 행복할까 궁금해진다. 높은 국민소득과 평생을 책임지는 복지, 그리고 좋은 자연환경만으로는 100% 설명되지 않는다. 그만한 조건을 갖춘 나라들은 많기 때문이다. 현지에서 거주하며 다른 나라 문화와 비교해 볼 기회가 있었던 사람들은 그 차이를 옛날 우리나라의 '마실'과 유사한 덴마크의 '휘게(Hygge)' 문화와 자연 속 휴식처인 노르웨이 통나무집 '휘떼(Hytte)'에서 찾기도 한다. 마을 사람들은 여럿이 한 곳에 모여 이런저런 이야기를 나누며 즐겁게 지낸다. 가끔 번잡한 문명을 벗어나 외딴곳에 있는 훼떼에서 가족과 함께 짧게는 한두 주, 길게는 한두 달씩 휴식을 취한다. 이들은 어느 나라 사람들보다도 '오래', '깊이', '많이' 인생과 삶에 대해 생각한다. 이처럼 인간 본연의 삶을 충실하게 사는 것이 바로 행복의 비결일 것이다. 그들의 느린 발걸음과 한 번씩 쉬어가는 쉼터, 그리고 잠시 자연을 바라보는 긴 호흡이 부럽다.

우리도 타인과의 경쟁에서 승자가 되려는 집착을 내려놓는다면, 생활에 여유가 생기고 마음에는 평화가 찾아올 것이다. 타인과 하는 경쟁에는 브레이크도 없고 끝도 없다. 자기 향상과 발전을 꾀하는 건 좋으나, 남과 비교해서 못났다고 자책하진 말자. 남의 시선은 무시하고 '나'에 집중하자. 어제보다 나은 오늘의 나에 만족하면 된다. 나 자신의 향상을 경쟁 목적으로 삼는 것, 이것은 결심만 하면 할 수 있다. 할 수 있는 것을 해내기 위한 노력은 버려야 할 과욕이 아니다. 어제의 나를 경쟁 대상으로 삼아 오늘을 살다 보면, 정상에 선 나를 발견하게 될지도 모른다. 그건 덤이다.

## 인생 이모작

"인생은 흘러가는 것이 아니라 채워지는 것이다.
우리는 하루하루를 보내는 것이 아니라
내가 가진 무엇으로 채워가는 것이다."
_존 러스킨

100세 시대 인생계획

젊었을 때 돈을 많이 모아서 은퇴한 다음 저축한 돈으로 안락한 노후를 보내는 것이 이상적인 노후설계였던 때가 있었다. 그러나 그동안 베이비붐 세대의 대규모 은퇴와 함께 저금리와 자산가치의 급격한 하락, 경제 불황과 이름도 생소한 각종 위기까지 겪었다. 그러한 노후설계가 현실적이지 않게 된 것이다. 그래서 나온 것이 인생 이모작이다. 55세 전후에 퇴직해서 인생이막을 새로 시작한다는. '100세 시대'라는 표현도 이제는 진부할 정도로 우리의 기대수명은 길어졌는데, 우리나라 출산율은 세계 최저다. 경제활동 인구는 줄고 노인 인구는 늘어 초고령 사회가 되어가니, 인류 최대의 염원인 수명연장의 축복이 재앙이 될 수 있다는 뜻이다. 재앙을 막으려면 젊어서부터 건강을 챙겨야 하고, 퇴직 후 할 일을 만들어야 한다. 60세 퇴직을 해도 10~20년은 더 활동해야 하며, 실제 퇴직은 50대 초 · 중반인 점을 고려하면, 첫 직장 퇴직 후 두세 개의 직업을 더 가져야 하는 시대가 됐단 의미다.

검정고시를 준비하던 시절과 대학 다니던 때 고시 합격기나 성공한 사람들의 전기를 읽으며 롤 모델을 머릿속에 그려 봤다. 사법시험이나 행정고시에 합격하고, 대학원에서 석 · 박사 학위를 받아 현직에서 판 · 검사나 고위공무원, 또는 변호사로 활동하면서 대학교수를 겸하거나 교수로 전직한 사람들, 그들이 나의 롤 모델이었다. 열 너덧 살 무렵 나는 조그만 종이쪽지에 내 목표를 적었다. 사법시험에 합격해서 판 · 검사나 변호사가 되고, 법학박사 학위를 받은 후 대학 강단에 서겠다는 것이었다. 목표를 적어두고 머릿속에 인이 박이도록 입버릇처럼 되뇌었다. 세월이 흐르면서 목표가 변하고 꿈이 다소 흐릿해지긴 했지만, 기본방향은 40여 년이 지난 지금도 그대로다. 놀라운 것은 그 목표의 상당 부분이 이미 이뤄졌다는 것이다. 법학박사 학위를 받았고, 사법시험 대신 미국에서 로스쿨을 다녀 변호사 자격을 땄다. 대학 강단에는 아직 서지 못했지만, 언젠가 설 것이다. 이런 큰 줄기의 목표 아래, 내가 첫 직장에서 퇴직하면 어려서부터 꿨던 꿈을 현실로 만들려고 꾸준히 준비해왔다. 내 이름으로 사무실을 내고 대학에서 강의하고 저술하는 것, 그것이 퇴직 후 내 꿈이자 인생 이모작 계획이다.

당연한 말이지만, 꿈을 실현하지 못하는 사람은 자신의 꿈을 담고 키워갈 역량을 만들지 못한 사람이다. 역량이란 기회가 왔을 때 그것을 받아들이는 그릇을 말한다. 꿈을 이루려면 그릇이 필요하다. 그릇을 키우는 건 우리 몫이다. 꿈은 노력해서 이루는 것이다.

공인중개사 자격 취득

2002년 초여름 지인 중 하나가 공인중개사 자격을 따고 싶다고 했다. "오, 그래? 그거 나도 같이해볼까?" 이렇게 공인중개사 시험 준비를 하게 됐다. 대학 다닐 때는 자격 도입 초기라 시험이 쉬웠는데, 아무도 관심 두는 사람이 없었다. 복덕방 이미지가 강하게 남아 있던 때라 법대생이 준비할만한 시험은 아니라고 생각했다. 지금은 생각이 다르다. 오히려, 부동산 분야 전문가를 꿈꾸는 젊은이들이 도전하면 좋겠다고 생각한다. 영어까지 겸비한다면, 활동 영역은 무한히 넓어질 것이다. 2017년에는 접수 인원이 32만 명을 넘어서서 그야말로 어른들이 보는 수능이 되어버린 공인중개사 자격시험, 지금은 '어려운' 시험으로 대접받는다. 자격소지자 수가 많아 이제는 상대평가로 전환을 검토한다는 얘기도 나온다. 정말 '고시'가 될지도 모르겠다.

2002년 당시에도 초창기와 달리 제법 수준 있는 시험이 돼 있었다. 종합문제집 한 권을 사 들고 한 달 동안 틈틈이 문제를 풀었고, 시험 직전에야 겨우 1회독 하였다. 1차는 부동산학개론과 민법 및 민사특별법, 2차는 부동산중개실무, 부동산공시법, 그리고 부동산공법이었다. 부동산학개론은 경제학과 경영학이 섞인 과목이어서 재미도 있었고 쉬었다. 이미 경제학과 경영학을 대학과 대학원, 그리고 고시 준비 하던 시절 공부하지 않았던가. 민법 및 민사특별법은 법대에서 배웠던 과목이라 방심하고 소홀히 했다 시험 당일 진땀을 뺐다. 겨우 60점 턱걸이. 판례의 입장을 묻는 문제가 주류를 이뤄, 별도 공부를 하지 않고서는 고득점이 불가능했다. 부동산중개실무는 특별히 어려운 내용이 없었다. 부동산공시법은 부동산등기법이 주된 내용이고, 부동산세법이 포함돼 있어서 실무에도 중요했으므로 관심을 갖고 공부했다. 부동산공법은 행정법의 특별법 성격이어서 법대에서 행정법을 열심히 공부했던 나에겐 가장 쉬운 과목이었다. 시험은 80점대 득점으로 무난히 합격했다.

시험 준비는 한 달이었지만, 관련 과목을 법대 4년과 경영대학원에서 공부했었다. 그러한 선행 과정이 없었다면, 한 달 준비로는 어림없었을 것이다. 공인중개사는 직장생활 하면서도 후배들에게 적극적으로 권하는 자격시험이다. 민법, 세법, 부동산공법 등 회사 업무를 하는 데도 유용한 과목들이 포함돼 있고, 자격증 하나쯤 갖게 하는 건 직원들의 사기도 높이는 보람 있는 일이니까. 게다가, 재테크의 양대 산맥이라 하면 부동산과 주식 아니겠는가. 재테크를 위해서도 공인중개사 자격은 매우 쓸모 있다고 생각한다.

### 경영지도사 자격시험 준비

세월은 쉼 없이 달렸고 내 나이도 어느덧 오십 줄에 접어들고 보니 '퇴직 후'가 현실로 다가왔다. 나는 얼마나 준비돼 있나 곰곰이 생각해보니, 당장 들고 나가 사무실 내고 경제활동을 할 수 있는 자격증은 공인중개사밖에 없었다. 그동안 부지런히 준비했다고 생각했는데 막상 경제활동에 써먹을 수 있는 건 빈약했다. '그래, 앞으로 3년은 내 이름으로 개업할 수 있는 국가 전문자격을 따야겠어!' 이렇게 결심하고, 산업인력공단 홈페이지(Q-Net)에 들어가 자격증 종류를 찾아봤다. 눈에 띄는 건 4가지, 가맹거래사, 행정사, 경영지도사, 공인노무사였다. 첫해에는 그중 시험과목이 비교적 익숙하고 쉽게 접근할 수 있는 경영지도사, 가맹거래사, 행정사 세 가지를 먼저 보기로 했다.

경영지도사는 중소기업진흥에 관한 법률 제46조에 근거하여 시행하고 있다. '경영지도사법'으로 독립법의 지위를 가질 수 있도록 경영기술지도사회에서 입법 노력을 하고 있다. 주관 부처는 중소기업벤처부이다. 소관 업무는 위 법률 제47조에 근거를 두고 있다. 중소기업에 대하여 경영의 종합 진단 · 지도,

인사, 조직, 노무, 사무관리의 진단 · 지도, 재무관리와 회계의 진단 · 지도, 생산, 유통관리의 진단 · 지도, 판매관리 및 수출입 업무의 진단 · 지도, 위 업무와 관련된 상담, 자문, 조사, 분석, 평가 및 확인, 그리고 중소기업 관계 법령에 따라 기관에 대하여 행하는 신고, 신청, 진술, 보고 등의 대행을 업무로 한다. 한마디로 국가가 인정하는 중소기업과 소상공인 전문 경영컨설턴트인 셈이다. 경영지도사는 2018년에 제33회 시험을 치른다. 경영지도사는 1, 2차 경쟁시험에 합격해 따는 방법과 일정한 요건에 해당하여 1차를 면제받거나, 양성과정 이수를 통해 1차를 면제받아 2차만 치르고 따는 방법이 있다. 자세한 사항은 경영기술지도사회 홈페이지에 들어가 보면 알 수 있다. 양성과정은 매년 1월에 공고하여 교육 대상자를 모집한다. 직장생활 경력자는 학사학위 소지자 10년, 석사학위 소지자 7년, 박사학위 소지자 5년의 경력으로 양성과정 이수 자격을 인정받을 수 있다. 소정의 교육비를 내고 온라인 과정을 듣고, 영어, 회계학개론, 경영학, 기업진단론, 조사방법론, 중소기업관련법령 등 6과목의 수료시험에 합격하면 된다. 양성과정 교재에서 문제가 출제되므로 합격률은 90%에 육박한다.

2차 시험은 1차 시험 합격자와 면제자가 함께 본다. 응시할 수 있는 분야는 인적자원관리, 재무관리, 생산관리, 마케팅의 4개 분야이고, 어느 분야든 선택할 수 있다. 2차 시험은 서술형으로 3과목을 치른다. 인적자원관리 분야는 인사관리, 조직행동론, 노사관계론(노동법 포함), 재무관리 분야는 재무관리, 회계학, 세법, 생산관리 분야는 생산관리, 품질경영, 경영과학, 마케팅 분야는 마케팅관리론, 시장조사론, 소비자행동론이 시험 과목이다.

합격 후 재무관리 분야는 공인회계사, 세무사와 경쟁하게 되고, 인적자원관리 분야는 공인노무사와 경쟁해야 해서, 경쟁 자격증이 없는 마케팅 분야의 인기가 상대적으로 높다. 생산관리는 기술지도사 시험에도 같은 분야가 있다. 물론, 어느 한 분야로 자격을 땄다고 해서 그 분야 일만 하도록 제한되는 것은 아니다. 그런데도, 4개 분야 자격을 모두 가진 경영지도사도 있다. 기술 분야는 기술지도사가 별도로 있으며, 경영지도사와 기술지도사를 망라해서 경영기술지도사회가 구성돼 있다. 회원 중 박사학위 소지자가 2천 명이 넘는다고 한다. 업무 성격상 컨설팅이 주된 업무다 보니 석사학위는 기본이고 박사학위 취득이 당연한 코스처럼 여겨진다.

나는 2017년에 양성과정을 마쳤고, 2차 시험을 두 번 응시할 수 있으므로 2018년에 2차 시험을 보기로 했다. 2017년 2차 시험이 가맹거래사 2차 시험과 같은 날이어서 부득이 선택해야 했기 때문이다. 만약, 두 번의 2차 시험 응시기회를 놓치면 그 다음해 소정의 교육비를 내고 다시 양성과정을 이수하면 된다. 재교육비는 첫 교육비의 약 절반이다.

### 가맹거래사 자격 취득

가맹거래사는 공정거래위원회에서 주관하는 국가 전문자격으로 프랜차이즈 가맹 본사(BBQ, 파리바게뜨 등)와 가맹점주(일선 점포주인) 간의 분쟁조정을 돕고, 프랜차이즈 창업컨설팅 등을 한다. 2003년도에 처음 도입돼 2018년에 제16회 시험이 시행된다. 가맹사업거래의 공정화에 관한 법률 제27조에 근거하여 매년 시험이 시행되고 있고, 주관 부처는 공정거래위원회다.

가맹거래사의 소관 업무는 위 법률 제28조에 규정돼 있다. 가맹사업의 사업성에 관한 검토, 정보공개서와 가맹계약서의 작성 · 수정이나 이에 관한 자문, 가맹점 사업자의 부담, 가맹사업 영업 활동의 조건 등에 관한 자문, 가맹사업 당사자에 대한 교육 · 훈련이나 이에 대한 자문, 가맹사업거래 분쟁조정 신청의 대행 및 의견진술, 정보공개서 작성 및 등록 신청의 대행 등이 그 업무이다. 2018년 7월쯤 공정거래위원회에서 지방자치단체로 정보공개서 등록 업무가 이양된다. 지방자치단체에는 관련 전문인력이 없으므로, 인력 채용 수요가 있을 것으로 예상한다.

가맹사업은 한마디로 프랜차이즈 사업을 말한다. 가맹거래사는 프랜차이즈와 관련된 컨설팅, 분쟁조정 대행, 정보공개서 및 가맹계약서의 작성과 등록 대행 등을 주 업무로 한다. 가맹거래사는 프랜차이즈 분야의 경영과 법률문제를 다루는 유일한 전문자격사여서 개인적 역량에 따라 활동 범위는 얼마든지 넓어질 수 있다. 특히 상가중개와 연계하여 공인중개사, 분쟁조정과 관련하여 변호사와 행정사, 프랜차이즈 창업 컨설팅과 관련하여 경영지도사, 상표 관련 업무와 관련하여 변리사의 자격을 가진 사람들이 중첩하여 많이 취득한다. 실무연수를 받을 때 보니, 동기 중에는 변호사, 변리사, 공인회계사, 세무사, 공인중개사, 공인노무사, 경영지도사 등 온갖 전문 자격사들이 포함돼 있었다.

1차 시험은 객관식으로 경제법, 민법, 경영학을 치르고, 2차 시험은 서술형으로 가맹사업거래의 공정화에 관한 법률과 가맹계약에 관한 이론 및 실무 두 과목을 치른다. 1차는 시중 교재로 준비하는 데 어려움이 없었지만, 2차는 시중에서 판매되는 수험서와 개설된 인터넷 강의가 시험 대비에 많이 부족했다.

2차 준비를 위해서 법률과 시행령을 재편집하여 직접 교재를 만들었다. 기출문제의 모범답안을 한 문제도 빠짐없이 작성해서 교재로 썼고, 열 번 이상 반복하여 읽었다. 내용상 두 과목이 중첩된 부분이 많고, 가맹계약 이론 및 실무는 민법 중 계약법에 관한 시험이라 해도 과언이 아니다. 경영지도사 양성과정 수료시험, 가맹거래사 1차, 행정사 1차, 가맹거래사 2차, 행정사 2차 등 다섯 번의 시험이 3월부터 10월까지 두 달 간격으로 있었기 때문에 시험 준비 기간은 두 달에 불과했다. 밀도 있게 집중해서 공부해야 했다.

1차는 평균 85점으로 합격했고, 2차도 평균 72점으로 무난히 합격했다. 가맹거래사는 특이하게 시험에 합격하면 합격증을 주고, 108시간의 실무수습을 모두 마쳐야 자격증을 발급해준다. 가맹거래사의 명칭은 공정거래위원회에 등록한 후에야 사용할 수 있고, 위반 시 벌칙 규정이 있다.

### 행정사 자격 취득

행정사는 행정사법 제5조에 근거하여 시행되며, 주관 부처는 행정안전부다. 시험은 2013년부터 매년 1회 시행되고 있고, 2018년에 제6회 시험이 치러진다.

행정사의 소관 업무는 행정사법 제2조에 근거하고 있다. 행정기관에 제출하는 서류작성 및 제출 대행, 권리의무나 사실증명에 관한 서류작성 및 제출 대행, 권리 의무나 사실 증명에 관한 서류작성 및 제출 대행, 행정기관의 업무에 관련된 서류번역 및 제출 대행, 인가 · 허가 및 면허 등 행정기관에 제출하는 신고 · 신청 · 청구 등의 대리, 행정 관계 법령 및 행정에 대한 상담 또는 자문, 법령으로 위탁받은 사무의 사실조사 및 확인 등이다. 이중 번역 업무는 번역행정사 소관 업무다. 이외에 해난 사건과 관련된 일을 담당하는 기술행정사도 있다.

행정사 자격은 공무원 경력자들이 시험을 면제받아 다수가 취득하긴 하였으나, 공무원 출신 중에서 실제 행정사 개업을 하고 적극적으로 활동하는 사람은 소수에 불과하다. 상대적으로 시험 출신 행정사의 활동이 두드러지고 있는 자격사이다.

행정청에 제출하는 서류의 작성, 인허가 대행, 행정심판청구서 작성 등을 주된 업무로 하지만, 다른 법에서 특별히 제한하지 않는 한 국가기관과 지방자치단체를 망라하여 행정사가 활동할 수 있는 범위는 매우 넓다. 우리나라 비자가 필요한 외국인을 대상으로 업무를 대행하며 고소득을 올리기도 한다. 전망이 좋은 전문자격이라고 생각한다.

행정사 1차 시험은 객관식으로 민법(총칙), 행정법, 행정학의 3과목을 치르고, 2차 시험은 서술형으로 사무관리론, 행정절차론, 행정사실무법, 민법(계약)의 4과목을 본다. 합격하면 자격증이 나오고, 실무수습을 수료하면 등록증 받고 사무실을 개설할 수 있다. 1차 시험은 평균 85점으로 합격했다. 2차 시험은 과목이 많은데 가맹거래사 2차 시험이 끝나고 두 달 보름 정도의 시간밖에 없어서 촉박했다. 행정절차론의 과락을 걱정하였으나 오히려 점수가 괜찮았고, 행정사실무법이 44점으로 겨우 면 과락하고 평균 56점으로 합격했다. 행정사는 과락 없이 평균 60점이면 합격할 수 있으나, 실제는 평균 60점을 넘는 응시자가 소수여서 최소 합격 인원을 정해 둔다.

이상은 내가 관심을 갖고 준비한 전문자격이지만, 각자의 전공, 적성, 현재 직업, 장래 계획 등에 따라 적절한 자격을 선택해 준비하면 되겠다. 나는 퇴직 후 아내와 함께 사무실을 운영할 계획이다.

# CHAPTER IV
# 해외에도 길은 있다

# 꿈은 이루어진다

"꿈을 향해 대담하게 나아가고
상상한 삶을 살기 위해 노력을 기울이면,
평범한 시기에 뜻밖의 성공을 접하게 될 것이다."
_헨리 데이비드 소로

## 한발 앞선 준비가 행운으로

해외유학이 상당히 일반화된 지금도 유학은 여전히 꿈이다. 우리나라의 대표적인 유학 대상국인 미국을 기준으로 보면, 학비가 살인적으로 비싸고, 생활비도 비싸다. 직장생활을 하고 결혼까지 한 성인이라면 기회비용까지 고려해야 하니, 손익계산서 뽑아보다 대부분 포기하기 마련이다.

MBA나 로스쿨 같은 직업교육을 위한 전문대학원(Professional School)의 경우 2018년 한 해 학비가 6만 불을 넘어간다. 생활비까지 고려하면 유학비용으로 1년에 1억 원도 부족하다. 거기다 다니던 직장을 그만둔 경우, 연봉 상실까지 더하면 기회비용이 추가로 5천만 원에서 1억 원, 또는 그 이상이 될 것이다. 유학기간이 MBA라면 2년, 로스쿨 J.D. 과정이라면 3년, 그러면 유학비용은 천문학적인 금액이 된다. 이러니 평범한 사람이 미국 유학을 꿈꿀 수 있겠는가.

나에게도 유학은 무의식 속에 침전된 막연한 희망 사항이었을 뿐이었다.

많은 기업이 인재육성과 직원 사기를 북돋우기 위해 유학제도를 운용하고 있다. 내가 다니던 회사도 정부 방침에 따라 구조개편을 거쳐 분사된 후 처음 유학제도를 만들었다. 유학제도를 시행할 것이라는 소문을 듣고, 지원을 위한 최소 조건인 토플 점수 확보를 위해 시험 삼아 응시했다. 모의고사조차 풀어보지 않고 아무런 준비 없이 그냥 응시했으니, 높은 점수를 기대하고 본 건 물론 아니었다. 지금은 인터넷 베이스로 IBT지만 당시는 컴퓨터 베이스 CBT로 300점 만점이었다. 획득 점수는 232점. 최소 지원조건 230점을 겨우 넘긴 점수였다.

유학제도가 생긴다는 소문만 무성할 뿐 실제 제도 시행은 늦어졌고, 10월이 다 돼서야 정식 결재를 받아 공고가 났다. 유학 지원을 위해서는 토플 점수가 필수로 요구되었고, 나는 한발 앞서 토플 점수를 취득했기 때문에 요건을 갖춰 지원할 수 있었다. 조건을 갖출 시간이 촉박했던 관계로 지원자는 나 혼자밖에 없었다. 참으로 행운이었다고 생각한다. 나보다 유능하고 영어 잘하는 직원들은 많았기 때문에, 경쟁이었다면 나는 유학을 갈 수 없었을 것이다.

### 미국 로스쿨 입학허가를 받다

유학 지원 절차가 진행되는 도중에도 토플시험을 봤다. 따로 시험을 준비할 시간은 없었다. 그래도 한 번의 응시경험이 도움이 됐던지 두 번째 시험에서는 250점을 넘길 수 있었다. 미국의 상위권 대학은 대부분 최소 토플 성적 250점 이상을 요구했기 때문에, 250점은 명문대 로스쿨(석사과정) 유학을 위한 최저 점수였다. 시험공부를 하지 않고서도 다시 시험을 보면 점수가 오르는 경험을 많이 했을 것이다. 여러 원인이 있을 수 있으나, 시험 자체에 익숙해져서 그런 경우라면 '연습효과'라고 부른다.

미국 학생이라면 학부를 나오고 3년제 로스쿨 J.D.학위를 가지고 있어야 LL.M.(Master of Law) 과정에 지원할 수 있다. 나는 한국에서 법대를 나와 미국 로스쿨에 상응한 기본 법학 학위를 가지고 있었기에 LL.M. 과정에 지원할 수 있었다. LL.M. 과정은 이미 법학교육을 받은 사람을 대상으로 모집하므로 LSAT(Law School Admission Test) 점수를 따로 요구하지 않는다. 3명 이상의 추천서가 필요해서 대학교수 두 분과 현직 판사 한 분으로부터 추천서를 받았다. 그 외에도 학부 성적증명서와 회사의 재정보증서가 필요했다.

11월경 미국의 로스쿨 여섯 곳에 지원서를 보냈고 코넬대를 제외한 다섯 곳에서 입학허가를 받았다. 학교마다 다르긴 하지만, 입학허가를 받고 사정이 생겨 해당 연도에 입학이 어려우면 1년 정도 입학유예는 대부분 허가해 준다.

2004년 당시 미국 변호사협회(ABA)의 정식 인가를 받은 미국 로스쿨이 180개가 넘었는데 랭킹 18~23위 사이에 있던 조지워싱턴대(워싱턴DC 소재) 로스쿨과 에모리대(애틀랜타 소재) 로스쿨을 진학할 최종 후보로 선택했다. 물론, 로스쿨 랭킹은 3년제 J.D. 과정을 기준으로 매겨진 것이기에 내가 지원한 LL.M. 과정의 랭킹을 의미하지는 않는다. 그래도 강의는 같은 교수들이 담당하므로 J.D. 프로그램의 순위가 높으면 LL.M. 프로그램 수업의 질도 좋을 수밖에 없다. LL.M.도 전공별 랭킹이 나오긴 하지만, LL.M. 과정을 아예 운영하지 않거나 운영해도 극소수의 학생만 받는 곳도 많기 때문에, LL.M. 랭킹을 일반화하여 학교를 평가하는 것은 무리가 있다.

LL.M.은 원래 J.D. 과정을 마친 미국 변호사들을 위한 심화 과정(세법, 특허법 전공 등)으로 만들어진 것이다. 미국 경제가 커지고 세계화가 진전됨에 따라 외국 법률가의 미국 유학수요가 많아졌고, 이러한 수요에 부응해 미국 로스쿨에 유학생을 위한 LL.M. 과정이 다수 만들어졌다. 로스쿨 교수 대부분은 J.D. 학위만을 가지고 있다. 간혹 LL.M. 또는 LL.M.을 거쳐 논문을 써야 학위를 받는 우리나라의 법학박사와 유사한 격을 갖는 SJD(Doctor of Judicial Science) 학위를 가진 교수도 소수 있긴 하다. 다른 분야 Ph.D. 학위를 받은 후 J.D.를 해서 로스쿨 교수가 되기도 한다. 학사학위 이상 소지자가 들어가는 우리나라 로스쿨을 나오면 법학전문석사라고 부른다. 간혹, 미국 로스쿨을 나온 J.D. 학위 소지자를 법무박사 또는 법학박사라고 부르는 걸 보는데, 이는 한국과 미국의 학위체계가 달랐던 것을 무시하고 글자 그대로 번역해서 빚어진 오역이다. 우리식으로 하면 그들도 법학전문석사다. LL.M.은 J.D.를 마친 법률가들이 이수하는 과정인데도 'Master'라는 학위가 수여되니, 우리식으로 '석사'라는 번역을 하게 되어 혼란을 주고 있다. LL.M.은 J.D.보다 하위 학위가 아니라 오히려 상위 학위다. 석사(Master)와 박사(Doctor of Philosophy) 학위는 전통적으로 '일반대학원'에서 논문을 쓰고 받는 학위다. 로스쿨과 같은 '전문대학원'은 직업교육을 목적으로 하므로, 거기서 받는 학위는 원칙적으로 논문을 쓰지 않는 학위라는 차이가 있다.

회사에서 처음 시행하는 유학 제도였기에 회사 재정보증서를 받아 유학길을 떠날 때까지 참으로 많은 우여곡절이 있었다. 좌절될 뻔한 위기도 있었지만, 하늘이 도왔는지 마침내 가족 모두를 동반하고 미국 유학길에 오를 수 있었다.

어려서 가졌던 유학에 대한 막연한 동경은 법대를 다니면서 꿈의 형태로 좀 더 구체화하였다. 그 꿈은 군대 생활과 사회생활을 거치면서도 흐릿하게나마 내 의식의 뒤편에서 다양한 노력을 하게 한 원동력이었다. 그로 인해 영어와 법률 공부의 끈을 완전히 놓지 않고 꾸준히 해왔던 노력이 우연한 기회에 행운을 만나 결실을 본 것이다. 기회는 준비된 사람에게만 온다지 않던가.

### 조지워싱턴대 로스쿨 유학

조지워싱턴대는 미국의 수도인 워싱턴 D.C.에 있다. 시내 복판에 위치해 부동산 가치가 어마어마한 부자 사립대학이다. 미국 수도에 국립대학교를 건립하자는 초대 대통령 조지 워싱턴의 발의에 따라 1821년 2월 9일 미국 의회에 의해 컬럼비안 대학이라는 교명으로 처음 설립됐다. 1873년 종합대학교로 승격했고, 1904년 현재의 교명으로 바뀌었다.

조지워싱턴대 로스쿨은 미국 학생용 LL.M. 프로그램과 유학생용 LL.M. 프로그램을 별도 운영하고 있다. 조지워싱턴대 LL.M. 과정으로 1년이면 백여 명의 유학생이 몰려온다. 조지워싱턴대처럼 유학생용 LL.M. 프로그램을 따로 운영하는 학교는 많지 않다. 덕분에 미국법개론에 해당하는 과목을 수강할 수 있었고, 미국 사법체계를 이해하는데 큰 도움이 됐다.

내가 유학한 해에는 한국 학생이 열 명이었다. 방문학자로 온 현직 판사와 검사도 있어서 함께 어울렸다. 유학 중 버지니아주 페어팩스 카운티 전철역 옆 아파트에 살았다. 같은 아파트 단지에 살던 한국 학생도 여럿 있어서 통학을 함께 하기도 했다.

나는 학생 중 나이도 많았고, 법률 사무에 직접 종사하지도 않았기 때문에 더 열심히 공부해야 했다. 아침 8시면 학교로 갔고, 밤 10시 돼서야 도서관 문을 나서는 생활을 계속했다.

첫 수업을 다녀와서 나는 절망감에 사로잡혔다. '이러다 낙제하겠는걸…….' 미국 헌법 판례를 배웠는데 도저히 이해할 수가 없었다. 한국 판례도 읽어보면 난해해서 이해가 안 되는데, 영어로 쓰인 미국판례, 그것도 100년이 넘은 옛

날식 문체로 쓰인 미국 연방대법원 판례 아닌가. 누구든 법원 판결문을 읽어본 사람이라면 공감할 것이다. 이어지는 수업에 읽어야 할 교재 분량만 쌓였고, 첫 주 수업이 끝난 주말 집에 앉아 심각히 고민해야 했다. '이걸 어떻게 해야 하지.' 3학점짜리 수업 한 번 끝나면 읽어야 할 분량이 100쪽이 넘었다. 그런 과목이 4과목이니. '공부시간을 더 확보하는 수밖에 없어.' 온종일 도서관에서 사는 생활을 계속했지만, 밀린 교재 분량을 다 소화할 수는 없었다. 그래도 사람 죽으라는 법은 없나 보다. 서점에 가니 두꺼운 케이스 북을 요약해 놓은 책도 있고, 중요 판례는 핵심만 정리한 자료도 인터넷에서 구할 수 있었다. 수업 전에 요지를 파악하고 들어가니 알아듣기도 훨씬 쉽고, 시험 대비도 할 수 있었다.

무거운 학습 부담 때문에 공부 외의 것은 거의 신경 쓰지 못하고 1년을 보냈다. 유학생 동기들과 가끔 주말에 골프 치는 것이 유일한 취미 활동이었다. 한 번 라운딩에 퍼블릭 골프장은 30불에서 50불이면 됐으니까, 부담도 없었다. 파란 잔디를 밟고 걸으며 힐링하는 시간으로 활용했다. 학교에 가면 점심은 주로 한국 학생끼리 모여 먹었다. 식사 후엔 커피 마시며 산책을 했다. 학교 바로 앞에 IMF, 월드뱅크가 있었고, 십여 분 걸으면 백악관이 나온다. '와, 저기에 조지 부시가 앉아 있단 말이지.' 이렇게 백악관까지 한 바퀴 돌고 와서 수업을 듣거나 도서관에서 공부하는 것이 일과였다.

조지워싱턴대 로스쿨에서는 미국법개론, 연방세법, 국제거래법, 국제경제법, 민사소송법, 증거법, 보험법, 컴퓨터법, 변호사윤리 등 24학점을 이수하였다.

### 에모리대 로스쿨 유학

유학 기간으로 2년이 주어졌기 때문에 조지워싱턴대에서 졸업을 미루고 더 공부하거나, 다른 학교에 다닐 수도 있었다. 에모리대는 입학허가를 받았을 때 1년 유예를 신청해 뒀기 때문에 바로 학교를 옮길 수 있었다. 에모리대는 조지아주 애틀랜타에 있는 남부의 명문 사립대다.

에모리대 로스쿨은 유학생용 프로그램을 따로 운영하지 않았다. 한국 학생도 나를 포함하여 둘 뿐이어서 조지워싱턴대 때와는 전혀 다른 분위기에서 다녀야 했다. '차라리 잘 됐다.' LL.M.용으로 개설된 과목이 따로 없어서 수업은 J.D. 과정을 같이 들어야 했다. 미국 변호사 시험도 응시해야 했기 때문에 에모리대에서는 과목 선택을 변호사 시험 과목 위주로 했다. 에모리대 유학 시절에는 변호사 시험 준비에 바빠 수업만 의무적으로 참여하였고, 나머지 시간엔 오직 시험공부만 했다. 골프도 일 년간 서너 번밖에 치지 않았다.

에모리대 로스쿨에서는 미국회사법, 계약법, 불법행위법, 형법, 헌법, 물권법, Conflict of Laws(연방법과 주법, 그리고 외국법 상호간의 적용순위를 정하는 법) 등 24학점을 이수하였다.

에모리대 로스쿨에 재학 중이던 2006년 2월 변호사 시험을 치른 후에는 수능을 끝낸 고3 같았다. 수업만 가고 나머지 시간은 가족과 함께 보냈다. 2년 유학 기간 중 가장 행복한 시간이었다. 아이들도 한국에 돌아갈 시간이 다가와 준비가 필요했다. 한국 학교 공부를 조금씩 봐주며 여행도 다녔다. 올랜도, 마이애미, 키웨스트……. 지금도 추억으로 남는 시간이다.

## 국제변호사가 되고 싶다면

"소송을 삼가라.
네 이웃이 타협할 수 있도록 최선을 다하라.
변호사들은 평화 중재자로서 훌륭한 사람이 될 기회가 더 많다.
그래도 여전히 할 일이 많을 것이다."
_에이브러햄 링컨

### 국제변호사는 없다

엄밀히 말해서 국제변호사라는 자격은 없다. 국제거래나 국제적 사건을 담당하는 변호사는 있다. 미국 변호사들이 영어를 쓰는 언어적 이점과 미국의 경제력과 미국계 로펌들의 영향력에 힘입어 국제변호사로 통칭되는 일반의 경향이 있을 뿐이다. 한국 변호사도 영어를 뛰어나게 잘하고 국제거래 분야에서 활약한다면 국제변호사로 불릴 수 있을 터이니, 국제변호사가 미국 변호사에 한정된 호칭은 아닐 것이다. 다만, 세계적인 로펌에 취업하고 국제 법률시장에서 활약하는데 한국 변호사 라이선스만으로는 제약이 있는 것 같기는 하다. 물론, 불가능하지는 않다. 아무튼, 미국 변호사가 국제변호사로 불린다고 보고, 국제변호사를 꿈꾸는 분들과 짧은 경험이나마 함께 나눠보고자 한다. 지금은 인터넷 검색만 해도 정보가 넘치고 유학한 분들 경험담이 많이 올라와 있어서 유익한 자료를 얻는 데 어려움이 없다. 자세한 정보는 관련 사이트를 방문해서 얻길 바라고, 여기서는 개인적인 경험과 생각을 나누는 정도로 하겠다.

가능은 하겠지만, 나처럼 토종이 독학으로 영어 공부하고 어렵게 기회를 얻은 짧은 유학 경험으로 국제 법률시장에서 변호사로 활약한다는 건 사실상 어렵다고 생각한다. 외국어로서 영어를 열심히 공부한다고 한들 어려서부터 영어를 일상어로 쓰면서 자란 재미교포와 조기 유학파들보다 잘하는 것은 거의 불가능하다. 영어와 한국어는 물론 스페인어와 중국어까지 서너 개의 언어를 모국어처럼 구사하는 인재들도 수두룩한 것이 현실이다. 하버드대 학부와 명문 로스쿨을 나오고 두세 개 언어도 완벽히 구사하는 인재들과 경쟁이 가능하겠는가?

물론, 어느 업계나 틈새시장은 있기 마련이어서 초일류 인재가 아니더라도 활동할 수 있는 분야는 있을 것이다. 다만, 우리가 흔히 국제변호사 하면 떠올리는 글로벌 일류기업과 파트너로 일하면서 세계를 무대로 활약하는 고액 연봉의 변호사가 되는 길은 멀고도 험하다는 현실 인식은 제대로 할 필요가 있다. 앞서 언급했듯, 학비 또한 어마어마하게 비싸니 투자 대비 수익률도 냉정히 따져봐야 할 일이다.

미국 유학을 가서 변호사로 성공하고 싶다면, 당연히 상위 랭킹 로스쿨의 3년제 J.D. 과정을 가는 것이 유리할 것이다. 한국에서 법대를 나오고 미국에서 LL.M. 과정을 한 후 변호사 자격을 따도 취업이 안 돼 활동을 제대로 못 한다는 속설이 있으나, 올바른 것은 아니다. 내가 유학할 때 인도에서 온 학생들이 많았는데, 그들은 LL.M.만 마쳐도 취업이 잘 됐다. 중국 출신 학생들도 마찬가지였다. 문제는 영어와 법률 실력 그리고 시장수요인 것이다.

### 미국 변호사가 되는 길

그래도 미국 변호사가 되고 싶다면 길은 여러 가지가 있다. J.D. 과정 유학이 정통 코스지만, 한국에서 로스쿨을 마친 후 LL.M. 과정을 가는 것도 좋은 대안이다. 우리나라에 로스쿨이 도입되기 전에는 4년제 학부 법학과가 미국 J.D. 과정에 상응하는 기본 법학 학위였다. 로스쿨 도입 전 법대 졸업자들은 한국에서 로스쿨을 나오거나 미국에서 J.D. 과정을 마치지 않아도 LL.M. 과정 유학이 가능할 것이다. 다만, 한국에 로스쿨이 도입된 후에 학부 법학과에 진학한 경우라면 LL.M. 과정 입학이 안 될 것이다. 미국의 J.D. 학위에 상응한 법학 학위가 이제는 한국 로스쿨 법학전문석사 학위이기 때문이다.

미국은 각 주마다 제도가 달라서 변호사가 되는 요건도 조금씩 다르며, 한국에서 법대를 나오고 미국에서 LL.M. 과정을 마쳤다고 해서 모든 주가 변호사 시험 응시자격을 주는 것도 아니다. 외국에서 법학교육을 받은 법률가들에게 가장 개방된 시스템을 갖고 있는 주는 뉴욕과 캘리포니아이다. 아마도 두 개 주의 국제화된 비즈니스 환경이라는 특성 때문이 아닐까 생각한다. 대신, 두 주의 변호사 시험이 과목도 많고 가장 까다롭다. 특히, 캘리포니아주는 원격교육으로 4년간 J.D. 과정을 이수할 수 있도록 프로그램을 제공하는 미국 변호사협회(ABA) 비인가 로스쿨이 여러 곳 있다. 이곳을 졸업하면 캘리포니아 주 변호사 시험에 응시할 수 있다. 나도 관심이 있어 몇 곳을 알아봤는데, 학비가 일반 로스쿨 J.D. 과정과 별반 차이가 없어서 포기했던 기억이 있다. 이외에도 한국에서 주말 교육을 받고 짧은 기간 일부 과목을 미국에 가서 이수하면 학위를 주는 LL.M. 과정도 있다. 경북 포항에 있는 한동대 국제법률대학원에서 3년 과정을 마친 졸업생들이 미국 일부 주에 가서 시험을 치르고 변호사 자격을 취득하기도 한다.

여기서 한 가지 의문점이 있을 수 있다. 예를 들어, 미국 뉴욕주에서 변호사 자격을 땄는데 다른 주에 가서 변호사 개업을 하고 싶다면 어떻게 해야 할까? J.D.를 마쳤다면 개업하고 싶은 주에 가서 다시 시험을 보거나, 타 주에서 취득한 자격을 그대로 인정해주는 주라면 등록절차만 밟으면 된다. 한국에서 법대를 나와 LL.M.을 마치고 뉴욕주에서 자격을 취득했다면 상황이 좀 다르다. 미국에서 J.D.를 마치지 않으면 타 주에서 변호사 자격을 얻었다고 해도 시험 응시자격을 주지 않는 곳이 많다. 타 주 취득자격을 그대로 인정해주는 주도 대부분 J.D. 과정 졸업자를 대상으로 한다. 다만, 대부분의 주는, 주마다 요구 연수가 조금씩 다르긴 하나, 타 주 변호사 자격 보유자가 5년 정도 변호사 활동 경력을 가지면 상호주의에 따라 자기 주 자격으로 전환을 허용하고 있다. 미국은 연방제로서 각 주가 기본적으로 독립 국가의 성격을 갖고 출발한데서 기인한 차이이다.

미국 변호사 시험은 1년에 두 번 7월과 2월에 치러진다. 로스쿨 졸업이 대개 5월이므로 7월 시험이 주된 시험이고, 7월 시험 탈락자나 여러 가지 사정으로 응시하지 못한 사람들은 2월 시험에 응시한다. 전체적으로 약 70% 정도의 합격률을 보인다. 한국에서 판검사나 변호사로 일하던 법조인들이 6~7년차 정도 되면 미국 연수를 나오는데, 어려운 시험을 통과한 우수한 인재들인지라 LL.M. 과정을 마치고 7월 달 첫 시험에 대부분 합격한다. 나처럼 법률 사무에 직접 종사하지 않으면서 LL.M. 과정 유학을 온 경우는 드물다. 7월 첫 시험은 서술식 시험(essay test) 준비를 충분히 하지 못했다. 경험 차원에서 객관식 시험만 응시했고, 두 번째인 졸업한 다음 해 2월 시험에 합격했다.

뉴욕주 변호사 시험은 이틀간 본다. 첫날 오전 3시간 동안은 의견서

(memorandum) 작성 능력을 테스트하는 MPT(Multistate Performance Test)가 치러진다. 문제당 90분이 주어지며, 2문제가 출제된다. 오후에는 3시간 동안 서술형 시험(Essay Test) 6문제를 풀어야 한다. 이틀째는 오전, 오후 6시간 동안 풀어야 할 전국 공통 객관식 시험(Multistate Bar Examination) 200문제가 기다리고 있다. 필기시험 외에 인터뷰도 통과해야 하고, 윤리시험(Multistate Professional Responsibility Examination)도 합격해야 하며, 최근에는 50시간의 자원봉사(pro bono) 활동 실적이 추가되었다. 끝으로, '선서'까지 해야만 변호사 자격증을 손에 쥘 수 있다.

미국 로스쿨의 거의 모든 시험은 '오픈 북' 테스트다. 암기력 테스트가 아닌 사례 해결 능력을 기르는데 목표가 있다 보니 당연한 일이다. 그래서 오로지 암기에 의존해 풀어야 하는 변호사 시험은 미국 로스쿨 학생들에게도 어려운 시험이라고 한다. 내가 처음 유학을 가서 변호사 시험 기출문제를 접하고 망연자실했던 기억이 난다. 객관식 문제의 길이가 어떤 것은 질문만 4분의 3페이지에 달하니 시간 안에 어떻게 풀까 싶었다. 더럭 겁이 났지만 포기할 순 없었고, 먼저 과정을 거쳐 간 경험자들의 조언에 따라 1년간 케이스 북을 꾸준히 읽어 나갔다. 아침 8시에 학교 도서관으로 가서 밤 10시에 돌아오는 생활을 계속했다. 2개 학기 과정이 끝나고 다시 문제집을 풀었더니, 놀랍게도 제한시간 내에 다 풀 수 있게 되지 않았겠는가. 기적 같은 일이었다. 다른 건 몰라도 독해 실력만큼은 비약적으로 늘었던 기간이다. 미국에서 박사학위를 받아도 영어가 늘지 않더란 말이 실감나는 경험이기도 했다. 가족과 함께 유학을 가면 현지인을 접촉할 기회가 현저히 제한되고, 학교에서도 미국 애들 만나 노닥거릴 시간이 없기 때문에 그렇게 된다.

뉴욕주 변호사 시험에 출제되는 과목은 다음과 같다. 먼저, 미국 전공 공통의 객관식 시험과목으로는 Contracts(계약법), Sales(물품매매), Constitutional Law(헌법), Criminal Law(형법), Criminal Procedure(형사소송법), Evidence(증거법), Real Property(물권법), Torts(불법행위법) 등이 있다.

서술형으로 치러지는 뉴욕주 법 과목으로는 Business Relationships(회사법 등), Conflict of Laws(섭외사법 성격), New York Constitutional Law(뉴욕주 헌법), Criminal Procedure(형사소송법), Family Law(가족법), Remedies(피해구제 절차법), New York and Federal Civil Jurisdiction and Procedure(미국연방 및 뉴욕주 민사소송법 성격), Professional Responsibility(변호사 윤리), Trusts(신탁법), Wills(유언법), and Estates(상속법), UCC(통합상법) Articles 2(물품매매), 3(유가증권), 그리고 9(담보거래) 등이 있다. 그 외에도 Multistate Performance Test(MPT)라고 해서 로펌의 신입 변호사나 정부기관 변호사로서 직책을 가정하고 상급자의 지시에 따라 의견서를 작성하는 시험이 있다. 내가 시험 볼 때는 한 문제였으나, 지금은 두 문제가 출제되며 문제당 90분의 시간이 주어진다.

## 캐나다로 이민가자

"여행하지 않는 사람들에게
이 세상은 한 페이지만 읽은 책과 같다."
_아우구스티누스

미국에서 귀국 후 적응기

가족과 함께 떠났던 2년간의 유학을 마치고 한국으로 돌아왔다. 돌아올 시점이 가까워지자 아이들 학교 적응이 슬슬 걱정되기 시작했다. 몇 달 전부터 국어, 수학 등 주요 과목 위주로 한국에서 가지고 온 문제집을 풀도록 했다.

귀국 후 딸인 작은아이는 발음 때문에 미국에서 갓 온 아이로 널리 인식됐다. 영어시험에서 분명히 맞게 썼는데 선생님이 정해 놓은 답과 다르다는 이유로 틀렸다며 분개하기도 했다. 두 아이 모두 한국 학교 적응은 빠르게 했고, 어학학원 귀국자반에 보내 영어 실력을 유지하도록 했다. 서울의 여느 아이들처럼 학원에 보냈지만, 아이들 성적이 최상위권으로 오르진 않았다. 한 시도 쉴 틈을 안 주며 매출을 올리는 학원 상술에 실망하고 있던 차에 작은아이가 먼저 학원을 끊겠다고 선언했다. 혼자서 스스로 공부하는 게 훨씬 낫다며. 고민하던 차라 잘 생각했다며 적극적으로 찬성했다. 큰아이도 영어만 빼고 학원을 그만

됐다. 작은아이 성적은 학원 끊고 난 후 첫 시험에 반에서 1~2등 수준으로 올랐다. 작은아이는 스스로 강의하듯 설명하며 공부하는 법을 터득해, 녹음까지 하고 반복해서 듣는 형태로 공부했다. 기억 이론에서 '정교화 리허설(elaborative rehearsal)'이라고 부르는 원리를 스스로 터득한 것이다. 강의하듯 설명하는 과정에서 정보의 의미를 마음 속 깊이 생각하고, 의미를 부여하게 된다. 이렇게 하면 단순 반복보다 깊은 수준의 정보처리가 이뤄지고, 장기기억에 저장될 가능성도 커진다.

중도에 그만두긴 했지만, 작은아이가 학원 다니며 도움을 받은 수업이 없었던 건 아니다. 국제중 진학을 대비해 토론 수업을 들었는데, 처음에는 논리적 사고를 무척 어려워했다. 로스쿨에서 배웠던 논리적 사고의 틀을 응용해 일종의 소크라테스식 문답법으로 작은아이를 몇 차례 훈련시켰다. 계속되는 질문에 처음엔 짜증 섞인 반응을 보였지만, 차츰 적응해 갔다. 두 달 쯤 후부터는 혼자서도 곧잘 해내는 게 아닌가. 스스로 공부하고 논리적으로 사고하는 능력을 키우는데 큰 보탬이 됐을 것으로 생각한다.

아들인 큰아이는 학원 끊고 나서 성적이 좀 떨어졌다. 기대했던 것만큼 학교 공부에 열성적인 것 같지 않아 염려됐지만, 내색은 하지 않았다. 큰아이가 특별히 하고 싶다는 것도 없었기 때문에 당연히 외고 진학을 할 거로 생각했다. 일단, 외고 입시 대비 전문학원에 보내기로 했다. 학원 테스트 결과 한영외고는 충분히 갈 수 있다는 얘길 듣고, 중3 일 년 동안 열심히 해보자고 독려했다. 중3이 되고 한 달쯤 지난 어느 날이었다. 당시, 나는 지방에 근무하고 있던 때라 아내로부터 전화가 왔다. 큰아이가 외고를 안 가겠다고 했단다. 일반 고등학교에 가서 음악을 병행하며 대학에 가겠다고. 미국에 있을 때 취미로 기타를 가르친 것이 발단이었다. 초등학교 5학년 때 처음 기타를 가르쳤는데, 개인지도 하던 튜터로부터 재능이 아주 뛰어나단 얘길 들었다. 하나를 가르치면 열을 해낸다며 칭찬했다. 작은아이와 같이 시작한 기타 교습인데 몇 달이 지나자 비교가 되지 않을 정도로 차이가 났다. "그래도 기타는 취미일 뿐이지." 큰아이에게도 그렇게 얘기했었다. 귀국 후에도 기타는 취미로 하라고 레슨은 계속 받게 해줬는데. 이젠 아예 음악으로 진로를 정하겠단 생각인 것이다. 그날 밤 곧장 서울로 올라와 큰아이를 면담하고 큰아이 생각을 물었다. 생각이 꽤 확고한 것 같았다. 큰아이 성격이 원래 그렇다. 작은아이는 끊임없이 자기 생각을 얘기하는 반면, 큰 아이는 표현하지 않고 있다가 결정적일 때만 말한다. "애들 교육은 원하는 것을 시키는 것이 정답이다." 이런 얘길 줄곧 해왔기 때문에 큰아이 생각에 반대할 명분도 마땅치 않았다. 일주일만 고민해보자고 했다. '기타로 밥은 먹고 살 수 있나?' 사실 이게 제일 큰 걱정이었지만, 큰아이가 기타로 음악을 하며 자기 꿈을 펼칠 수 있겠는지 자료도 찾아보고 고민을 했다. 결론은 '원하는 대로 해주자'였다. 일주일 만에 결정을 내리고, 외고 전문학원을 끊었다. 소홀히 했던 기타레슨도 다시 시작하도록 해줬다. '기회는 부모가 만들어 줘야지.' 머릿속엔 이런 생각으로 큰아이를 위한 더 나은 교육 대안을 찾고 있었다. 결과적으론 아이가 원하는 대로 해준 것이 정말 현명한 결정이었다고 생각한다. 캐나다 가서 명문대학에 진학했고, 하고 싶은 음악으로 자신의 커리어를 성공적으로 쌓아가고 있으니 말이다.

## 다시 해외로 가고 싶어

나는 미국에서 돌아온 후 서울 본사에 배치받지 못하고 지방 사업장으로 발령이 났다. 나름대로는 열심히 공부하고 온 것을 회사 발전을 위해 써먹어야겠다고 결심했으나, 아무 관련도 없는 일을 하게 된 것이다. 실망할 수밖에 없었고, 이것이 계기가 돼 이민을 진지하게 고려하게 됐다. 처음 이민 후보지는 기후가 좋은 호주였다. 회계사로 기술이민을 준비하면서 호주 공인회계사 멤버십도 취득했고, 상당히 구체적으로 진행시켰다. 그러던 차에 큰아이가 음악을 하겠다고 했고, 허락은 했지만, 고민이 끝난 것은 아니었다.

'일반 고등학교에 가서 음악을 계속하며 대학에 간다는 게 가능하겠는가?'

'가능한들 얼마나 좋은 대학에 갈 수 있겠는가?'

'대학을 나온 후 마땅한 진로가 있을까?'

'음악하며 어울리는 애들 중에는 노는 애들도 많을 텐데 괜찮을까?'

이런 생각 끝에 호주 이민을 준비하고 있었으니, 큰아이 먼저 중학교 졸업하면 호주로 보내기로 했다. 유학원을 알아보고 입학허가를 받았고, 등록금까지 보냈다. 작은아이가 자기도 보내달라며 떼썼지만, 조금 있다 보내주마 하고 달랬다.

호주 기술이민은 조건이 상당히 까다롭다. 첫째 조건은 자신의 직장경력이 호주 정부가 발표하는 부족 직업군에 해당해야 한다. 호주 이민이 가능한 부족 직업군 리스트는 SOL(Skilled Occupation List)과 CSOL(Consolidated Sponsored Occupation List)을 참조하면 된다. 리스트는 해마다 업데이트된다. 그 외에도 학력, 나이, 영어 등 여러 조건을 갖춰야 하는데, 영어능력 충족이 쉽지 않다. 이런저런 이유로 조건충족에 상당한 시일이 더 걸릴 것 같았다. 호주 이민을 준비하면서, 시스템은 거의 같은데 나에겐 조건충족이 다소 수월했던 캐나다 기술이민을 같이 준비하기 시작했다. 호주 이민을 준비하면서 서류는 다 갖춰졌기 때문에 캐나다 이민성에 곧바로 서류를 보낼 수 있었다. 회계 · 재무 분야 인력이 캐나다 부족 인력에 포함돼 있어서, 기준 점수 67점보다 훨씬 높은 75점으로 캐나다 영주권을 받을 수 있었다. 내가 영주권을 받은 이후 회계 · 재무 분야가 빠지고 사회복지사가 포함됐다. 2015년에는 대폭적인 이민제도 개편이 있었고, 회계·재무 분야도 다시 포함됐다. 캐나다 이민제도에 대해서는 뒤에서 좀 더 상세하게 소개하겠다. '신입사원 때 아무것도 몰라 답답해서 시작했던 회계공부를 이렇게 써먹을 줄이야.' 공부해서 남 주진 않는 것 같다. 호주 고등학교 입학절차를 다 마쳐놓은 상태였지만, 위약금을 물고서 방향을 캐나다로 급선회했다. 캐나다 영주권 신청을 해놓고 서류심사가 진행 중인 상태에서 먼저 캐나다로 아이들을 보냈다. 이번엔 작은아이까지 둘 다. 영주권이 나오기 전이었기 때문에 학비 혜택도 없이 보냈지만, 영주권을 받으면 환불이 되기 때문에 잠시 저축한다 생각하고 학년이 끝나는 시점에 맞춰 보내기로 했다. 큰아이는 중3, 작은아이는 중1이 끝나가던 해 12월이었다.

### 캐나다, 아쉽지만 우선 아이들만

가족 이민을 생각하고 시작한 일이었지만, 일단 아이들만 보내기로 했다. 경제적 안정을 희생하고, 생계를 위험에 빠뜨릴 순 없었다. 아이들만 보낼 수 있었던 것은 아이들이 영어를 잘 했기 때문이기도 하다. 아이들만 조기유학 보내서 실패하는 주된 이유가 언어장벽 때문이니까.

아이들이 캐나다에서 보낸 첫 학기는 외국인 유학생 신분이었기 때문에 학비를 전부 냈다. 다행히 영주권 절차가 순조롭게 끝나 두 번째 학기부터는 공립학교를 무료로 다니게 됐다. 당연한 말이지만, 생활비는 주거환경에 따라 천차만별이다. 교포 집에 홈스테이를 시켰는데, 가디언 피(guardian fee)까지 해서 월 3,000~3,500 캐나다 달러 정도 들었다. 가디언에 대해 다소 오해와 혼선이 있는데, 법적인 용어로 가디언은 우리로 치면 '미성년후견인'에 해당한다. 부모가 사망하거나 친권 상실선고를 받아 친권을 행사할 사람이 없을 때 법원에서 선임하는 것이 가디언이다. 유학생 보호자란 의미로 가디언이란 용어를 쓰는 것은 틀린 것이다. 정확히는 커스터디언(custodian)이라 해야 맞고, 우리 아이들처럼 유학이 아닌 이민을 온 아이들은 커스터디언도 필요하지 않다. 다만, 12세 미만인 경우 아이들만 집에 두면 안 되기 때문에 함께 있을 보호자가 사실상 필요할 수는 있다. 이러한 법적 의미와는 관계없이 머나먼 타국 땅에서 부모를 대신할 보호자는 필요했다. 차로 학교 통학도 시켜줬고, 여러 가지 조언과 도움을 받았으므로 비싸단 생각은 하지 않고 가디언 역할을 맡겼다.

홈스테이 가정이 처음엔 토론토 북쪽 요크지역의 오로라에 살았는데, 토론토 시내에 더 가까운 리치먼드 힐로 이사하게 됐다. 이사의 주된 이유는 명문 고등학교 진학. 그 집 작은아이가 우리 작은아이와 같은 나이였다. 그 덕에 토론토가 위치한 온타리오주 전체 공립 고등학교 중 3위권에 드는 명문 베이뷰 고등학교에 진학하게 됐다. 이 학교 재학생은 대부분 중국인 이민자였다. 백인은 오히려 소수였고, 한국인 학생이 일부 있었다. 아이들은 영어 소통에 전혀 문제가 없었기에 학교 적응도 빨랐고 성적도 곧 상위권에 진입했다. 캐나다에서 고등학교 다니는 동안 아이들이 받은 사교육은 글쓰기 개인교습과 큰아이가 받은 기타 레슨이 전부다. 큰아이는 학교 밴드에서 두각을 나타냈고, 수업시간에 선생님을 도와 보조교사도 했다. 졸업할 때는 음악 분야 우수졸업자로 선정돼 명예의 전당(Hall of Fame)에 이름을 올렸다. 큰아이는 토론토대학교 음악대학에 재즈 기타연주 전공으로 4년 장학금을 받고 진학할 수 있었다. 캐나다에 보낸 건 큰아이를 위해 참 잘한 결정이었다. '한국에서 일반 고등학교에 진학해 음악을 했다면 대학이나 제대로 갈 수 있었을까?' 이런 의문이 들었으니까.

작은아이 역시 재즈 콰이어 등 다양한 교내활동을 하면서 고등학교를 우수한 성적으로 졸업했다. 딸은 토론토대학교 경영대학(Rotman School of Management)에 진학했다. 한국과 마찬가지로 캐나다도 이과 우수학생은 의대, 치대, 약대 진학을 목표로 생명과학(Life Science) 전공으로 몰리고, 문과 우수학생은 경영대학을 선호한다. 우리나라는 추천서가 형식적인 경우가 많고, 좋은 말만 골라 써주는 경향이 강해 신뢰도가 떨어진다. 미국이나 캐나다에서는 추천서를 함부로 써주지 않는다. 써줄 때는 사실에 근거해 쓰므로 취업할 때 결정적인 영향을 미친다. 다양한 경험을 쌓고, 좋은 추천서를 받으면 좋은 직장을 얻는 데 큰 도움이 된다. 일찍부터 경영대학을 가기로 한 작은아이는 이러한 특성을 간파하고, 고등학교 다닐 때부터 여러 가지 아르바이트 경험을 쌓으면서, 좋은 추천서를 받을 수 있도록 관리했다. 고등학교 때부터 산학연계 프로그램(Co-op)으로 쉐라톤 호텔에서 인턴을 했고, 패스트 푸드점 웬디스(Wendy's)에서도 오랫동안 일했다. 웬디스에서 일할 때 마지막 근무 조에 걸리면, 밤 12시에 끝나 가게 문단속을 하고 귀가했다. 버스를 타고 와서 다시 정류장부터 홈스테이까지 20분 이상 걸어오면, 새벽 1시가 넘었다. 작은아이는 눈이 발목까지 쌓인 겨울밤, 아르바이트를 끝내고 걸어오면서 아빠에게 전화하곤 했다. 깊은 밤 산길을 혼자 걸으며 무서우면, 큰소리로 노래를 부르는 것과 같은 마음이었을 것이다. 돈 때문이라면 그렇게까지 무리해서 아르바이트를 해야 할 상황은 아니었다. 그런데도 스스로 선택하고 결정한 일이었기에, 딸은 끝까지 책임감 있게 해냈다. 그런 자세라면 작은아이 장래 걱정은 안 해도 되겠다 싶었다. 나는 아이들을 키우면서 '이거 해라', '저거 해라' 결정해 준 적이 거의 없다. 아빠의 경험을 얘기해주거나, 아이들이 판단하는데 필요한 정보를 주고 권유 정도는 했지만, 선택과 결정은 스스로 하도록 했다. 부모 역할은 뒤에서 응원하며, 가능한 지원만 해주는 것으로 제한했다. 이러한 교육 방침과 아이들이 스스로 노력한 결과, 별다른 사교육 없이도 명문대학에 진학할 수 있었지 않았나 생각한다.

### 캐나다 대학생활

캐나다 대학은 상대적으로 입학하기 쉽다. 치열한 입시전쟁도 없고, 수능시험도 따로 보지 않는다. 12학년, 우리로 치면 고등학교 3학년 1학기까지 받은 성적으로 대학을 지원한다. 대학에서 하려는 전공에 맞춰 고등학교 때 선택과목을 골라 수강한다. 성적에 따라 대학을 지원하긴 하지만, 대학이 우리나라처럼 한 줄로 서열화돼 있지는 않다. 토론토대학교가 캐나다 제일의 명문으로 인정받고는 있으나, 전공별로 다른 대학이 더 높이 평가받는 경우도 있고, 확실한 취업을 목표로 토론토대학교 대신 워털루대학교를 선택하는 학생들도 많다.

대학 입학은 상대적으로 쉬우나 진짜 경쟁은 입학 후부터다. 전공별로 차이가 있겠지만, 2학년이 돼서 주위를 돌아보면 절반 정도가 안 보이고, 3학년 올라갈 때 상당수가 또 탈락해서 졸업할 땐 40% 남짓 졸업한다는 것이 대체적인 정설이다. 교포사회에선 대학에 입학한 것을 알고 있는 남의 집 아이가 졸업했는지 묻는 것이 금기처럼 돼 있다고 한다.

큰아이는 입학해서부터 졸업 때까지 4년 연속 장학금을 받았다. 토론토대학교 음악대학의 대표 재즈 밴드인 UTJO(University of Toronto Jazz Orchestra)의 기타리스트 자리에 아시아계로는 최초로 발탁됐다. 다양한 연주 활동을 하며, 재즈뮤지션의 꿈을 키워가고 있다. 큰아이는 3학년을 마치고는 휴학하고 크루즈 선을 탔다. 5개월 넘게 크루즈 선 밴드 기타리스트로 일하면서, 월급 2,400불에 숙식 제공을 받으며, 연주와 여행을 병행했다. 많은 나라를 여행하고, 다양한 음악을 접해본 좋은 경험이었다고 한다. 크루즈 선사에서는 항상 밴드에서 일할 뮤지션을 구하고 있으니, 음악을 하고 있거나 자녀가 음악을 한다면 관심을 가져볼 일이다. 세계 각국에서 이 일을 하려고 지원한다. 남미 국가의 학생들은 몇 달 크루즈에서 일하면 학비와 생활비를 번다. 인터넷에서 'cruise ship jobs'를 검색하면 많은 정보를 얻을 수 있다. 아들은 라임뮤직엔터테인먼트(www.limemusicentertainment.com)를 통해서 지원했다. 그 회사에서 선발해서, 수수료를 받고 크루즈 선사에 취업시킨다. 오디션은 동영상을 찍어 보내면 된다.

하루는 크루즈 여행 간 아들이 샘나서 물었다.

"아들은 엄마 · 아빠 언제 크루즈 여행 시켜줄 거니?"

"아빠가 기타 배우세요."

"응?"

큰아이는 LA 항을 출발해서 하와이를 거쳐 남태평양 섬나라와 남미 각국을 돌았다. 탱고와 칠레가 마음에 들었다며 언젠가 칠레에 가서 한번 살고 싶다고 한다. 지금은 스페인어를 배우고 있다.

작은아이는 토론토대학교 경영대학에 입학한 후 왕성한 동아리 활동을 했다. 인적 네트워크도 만들고 인턴 경험도 다양하게 쌓았다. 성적도 상위권을 유지하고 있어, 학교에서 성적우수자에게 보내는 Dean's Letter를 계속 받고 있다. 2학년을 마치고는 토론토에 있는 전력회사(Hydro One)에서 1년간 인턴으로 일했다. 믿기지 않겠지만, 인턴 연봉이 6만 불을 훌쩍 넘었다. 돈보다도 좋은 회사에서 쌓은 인턴 경험이 취업의 열쇠가 된다는 점에서 더 큰 의미가 있다.

토론토대학교는 2018년도 세계 대학랭킹 Times Higher Education(THE) 22위

(옥스퍼드대 1위, MIT 5위, 하버드대 6위, 서울대 74위), QS 31위(MIT 1위, 하버드대 3위, 서울대 36위), Academic Ranking of World Universities(ARWU) 2017년 랭킹 23위(하버드대 1위, MIT 4위, 서울대 119위)이고, 캐나다 내에서는 1위이다.

유학 갈까, 이민 갈까

'유학과 이민, 어느 것이 더 좋을까?'

아마 이런 생각은 해본 적이 없을 것이다. 목적이 다르다고 생각할 테니까. '유학을 목적으로 한 이민'이라고 해야 더 정확한 표현이 될 것 같다. 많은 사람이 국내 대학을 갈까 해외로 유학을 갈까, 아니면 한국에서 계속 살 것인가 이민을 할 것인가, 이런 질문은 해본 적이 있을 것이다. 유학은 말 그대로 다른 나라에 가 공부하지만, 그 나라에서 체류 신분은 외국인인 경우다. 해외 유학을 극소수의 선택받은 사람들만 가던 시절, 유학생은 귀국해서 좋은 대우를 받고 대기업에 취직하거나 교수가 될 수도 있었으니, 해외 유학은 성공의 첩경으로 인식되었다.

지금은 어떨까? 유학 후 귀국해도 다시 치열한 경쟁을 뚫어야 하고, 취직한다 해도 특별한 대우는 받지 못한다. 유학에 쓴 돈을 생각하면, 오히려 손해일 수도 있는 투자다. 유학을 마친 후 귀국보다 현지 취업을 원한다면 그 나라 시민권자나 영주권자와 경쟁해야 한다. 내국인 일자리 보호를 위해 외국인 채용 시에는 여러 가지 제약이 따르기 마련이다. 같은 값이면 영주권자나 시민권자가 우선하여 채용될 수밖에 없다. 입장을 바꿔 우리나라의 사정을 보더라도 그렇지 않은가? 대체 불가능한 능력을 갖춘 인재라면 어떻게든 회사가 힘써 비자 문제를 해결해주고 모셔오겠지만, 누굴 써도 그만이라면 무엇 때문에 외국인을 채용하겠는가.

이렇듯 취업전선에 나서면 유학생과 영주권자는 출발선부터 다르다. 부모 입장에서 자식을 해외로 보내 공부시키고 싶다면, 유학이 아닌 이민을 고려해 볼 일이다. 그뿐인가. 미국이든 캐나다든 영주권자는 고등학교까지 공립학교 학비가 무료다. 대학은 유학생 학비가 영주권자의 약 두 배이며, 장학금이나 정부 지원금 등 수많은 혜택에서 유학생은 불리한 위치에 설 수밖에 없다. 이런 상황이니 아이들을 해외로 보낼 생각을 하는 부모라면, 중장기 계획을 세워 영주권을 받을 수 있도록 노력해 볼 일이다. 나는 영주권을 받아 아이들을 캐나다로 보낸 덕에, 국내 대학을 보냈을 경우보다 오히려 비용이 적게 들었다. 캐나다 영주권은 부모로서 내가 아이들에게 준 것 중 가장 큰 선물이었다.

### 캐나다 이민제도

선진국 이민을 돈 많은 사람이나 생각해 볼 수 있는 특권이라 생각할지 모르지만, 장기 계획을 세우고 노력하면 누구나 할 수 있다. 캐나다 영주권 준비에 평균 7년 정도 걸린단 얘길 들은 적이 있다. 나는 준비 1년 만에 영주권을 받았다. 그건 평생 자기계발을 하며 산 결과, 영어, 학력, 자격, 경력 등 필요한 조건이 자동으로 갖춰진 결과다. 이민을 염두에 두고 처음 시작한다면, 최소 5년에서 10년은 걸릴 것이다.

캐나다와 호주의 이민제도는 해외의 우수인력을 유치할 수 있도록 점수제로 선발하는 메리트 시스템이다. 돈을 쓰지 않아도 영주권을 받아 이민할 수 있다는 뜻이다. 반면, 미국은 기본적으로 100만 불을 투자해서 이민을 신청하거나, 의사 · 과학자 · 교수 기타 미국 이익에 크게 기여할 수 있는 사람에게나 허용되는 고학력자 독립이민(NIW : National Interest Waiver) 제도에 해당할 경우에만 영주권을 바로 받을 수 있다. 영주권 취득이 캐나다, 호주보다 어렵다. 트럼프 행정부에서 캐나다 · 호주식 메리트 시스템으로 이민제도 전환을 검토할 수 있다는 뉴스가 나온다. 앞으로 지켜볼 일이다.

나라마다 다르지만 캐나다의 경우 5년간 유효한 영주권을 받으면, 그중 2년만 거주해도 영주권 연장이 가능하다. 직장 문제 등으로 불가피한 경우, 아이들만 보내서 거주요건을 충족할 수도 있다. 아이들은 계속 거주하면 영주권 연장 및 시민권 취득이 가능하다. 아이들만 보내 훨씬 유리한 조건으로 유학 목적을 이루고, 현지에 정착할 수 있다. 영주권과 시민권을 오해하는 경우가 있는데, 영주권은 대한민국 국적의 상실과는 전혀 관계가 없다. 시민권은 외국 국적을 의미하므로, 후천적으로 시민권을 취득하면 국적법에 따라 대한민국 국적을 자동으로 상실한다는 점에 유의해야 한다.

캐나다 투자 이민은 현재 연방 정부에서는 받지 않고 있고, 퀘벡주 정도만 제한적으로 허용하고 있다. 기술이민제도도 2015년 1월 1일부로 대폭 바뀌었다. 기본적으로 기술이민제도는 유지되고 있으나, 절차가 복잡해졌다. 급행(Express Entry) 시스템이 추가된 것이다. 전에는 서류를 갖춰 영주권을 신청하면, 심사를 통해 바로 비자를 받아 랜딩(캐나다 입국) 함으로써 영주권 취득 절차가 마무리됐었다. 현재는 다음과 같다.

[자격판정] → [Express Entry 시스템에 Profile 등록] → [Profile 업데이트/1년 단위] → [선발(추첨) 및 ITA(invitation to apply) 발급] → [영주권 신청] → [랜딩 피 납부] → [비자발급 및 출국]

캐나다 영주권 취득의 관건 중 첫째는 언어 능력이다. 영어(또는 불어)가 CLB Level 7 이상의 실력이 돼야 한다. CLB는 Canada Language Benchmark의 약어로서, CLB 7에 해당하려면 IELTS 시험의 경우 리스닝 6.0, 리딩 6.0, 라이팅

6.0, 스피킹 6.0이 돼야 한다. 평균 6.0이 아닌 각 파트별 6.0이란 점에 유의해야 한다. CLB 7이면 자격심사 시 어학 점수 4점을 얻게 된다. 둘째는 영주권을 신청하는 직종과 같은 직종에서 과거 10년 이내에 1년 이상의 유급 경력이 있어야 한다는 점이다. 기술이민 직종은 NOC Skill type O, A, B의 경력만 해당한다. NOC는 National Occupational Classification(캐나다 직종 분류표)을 의미한다. Type O는 고위 관리자급, Type A는 의사, 치과의사, 건축사 등 전문직, Type B는 요리사, 전기기사 등 대학 교육이나 그와 상당하는 정도의 도제식 훈련이 필요한 직종을 의미한다. 예를 들어, 내가 요식업에 종사하는 사람이라면, 적어도 Type B의 요리사(chef)나, 그보다 상위의 Type O에 해당하는 레스토랑 지배인(restaurant manager)으로 근무해야 하는 것이다. 캐나다 이민 직종에 해당하는지는 NOC 리스트를 확인해 보면 된다.

내가 어렸던 1970년대 목포나 여수에서 서울을 가려면, 기차 타고 12시간쯤 걸렸던 것 같다. 지금은 비행기를 타고 12시간이면 미국이나 유럽에 간다. 전 세계를 1일 생활권으로 만드는 '초음속 여객기' 개발 경쟁이 다시 불붙고 있다는 뉴스가 나오는 걸 보니, 앞으론 서너 시간 만에 태평양을 건너는 시대도 올 것이다. 세계가 그만큼 좁아졌고, 더 가까워지고 있단 뜻이다. 우리나라는 청년실업 문제가 심각하지만, 이웃 일본만 해도 일자리가 넘치고, 미국과 캐나다도 구직에 큰 어려움이 없다. 우리는 인터넷으로 세계 어디에 있든 실시간으로 소식을 주고받을 수 있고, 비행기 타고 열 몇 시간만 가면 지구 어디든 갈 수 있는 시대에 살고 있다. 젊은이들은 '헬조선'만 탓할 일이 아니라, 시야를 해외로 돌려야 한다. 타고난 조건이 열악한 흙수저 출신이라면 더욱더. 여러분이 부모 입장이라면, 영주권 취득이 아이들을 위한 좋은 투자가 될 수 있다. 여러분 노력만으로 자녀를 위해 기회를 만들어 줄 수 있다.

## 돈 없어도 유학 간다

"괴로운 시련처럼 보이는 것이 뜻밖의 좋은 일일 때가 많다."
_오스카 와일드

### 유학은 여전히 기회

과거보다 유학이 상당히 보편화해 있다고는 하지만, 여전히 학비와 해외 체재비 등을 고려하면 경제적 장벽이 상당히 높다. 이민에 대해서는 앞서 기술하였다. 여기서는 조기유학의 효과와 미국, 캐나다에서 적은 돈으로 공부할 방법을 얘기해보고자 한다.

돈이 얼마가 들든 개의치 않는 금수저거나, 실력이 매우 뛰어나서 삼성 이건희 장학금과 같이 풍족한 장학금을 받아 유학할 수 있다면, 고민할 필요도 없을 것이다. 장학금 받는 법은 여기 논의 대상에서 빼겠다. 각종 장학금을 이용하는 방법은 따로 책도 나와 있으니, 참고하면 된다. 대신, 나처럼 열심히 살아온 흙수저로서 신분 상승을 꿈꾸거나, 어려운 형편이지만 자식들 해외 공부라도 시켜보고 싶은 사람이라면, 함께 고민해 볼 가치가 있다고 생각한다. 유학이든 이민이든, 흙수저라고 그냥 포기하면 아이들 꿈을 빼앗는 것일 수도 있지 않은가.

해외 유학파가 많아져 유학 경력의 상대적 가치는 많이 하락했다. 그래도, 넓은 세상에 나가 견문을 넓히고, 세계 각국에서 온 아이들과 경쟁하며, 새로운 길을 개척할 수 있다. 영어나 다른 외국어에서 자유로워질 수도 있으니, 유학은 여전히 기회가 맞는 것 같다.

### 조기유학의 효과

지금은 한풀 꺾이긴 했으나, 조기유학 열풍이 거세게 불 때였다. '영어 실력이 얼마나 는다고, 돈도 많이 들 텐데, 가족 간에 떨어져서 뭐 하는 짓일까?' 나도 이런 생각을 했었다. 큰 비용과 기러기 가족의 부정적 문제점 때문이기도 했지만, 10년 넘게 공부해도 안 되는 영어가 미국 가서 2~3년 산다고 금방 되겠나 하는, 회의적인 생각이 더 컸기 때문이다. 직장인이라면, 아니 한국에서 성공하고자 노력하는 사람이라면, 영어를 잘 하고 싶은 욕망이 얼마나 큰지 잘 안다. 중・고생 사교육비 지출 비중도 영어가 단연 1위다.

미국에 내가 유학하게 됐을 때도 가장 큰 고민거리는 아이들 영어 문제였다. 아이들이 초등학교 4학년과 2학년, 큰아이는 겨우 알파벳 뗀 정도였고, 작은아이는 정말 a, b, c도 모르는 까막눈이었기 때문이다. 먼저 해외생활 경험이 있었던 선배에게 진지하게 물었다.

"미국에 가면 애들 영어는 어떻게 해요?"

"어른이 문제지. 애들 걱정은 할 것 없어."

반신반의했지만 내가 믿지 않는다고 딱히 방법이 있는 것도 아니었다. '에라 모르겠다. 어떻게든 되겠지.' 일단 부딪쳐 보기로 했다.

미국이든 캐나다든 한국인이나 중국인이 많이 모여 사는 곳은 학교가 좋다.

교육열이 높은 한국계나 중국계 이민자가 많이 다니는 학교는 학력 수준이 높아져 명문교가 되기 때문이다. 나도 워싱턴 근처 학교 좋은 곳을 수소문해서 아파트를 얻었는데, 역시나 한국인이 많이 살았고, 월세도 비쌌다. 나도 교육열 높은 한국인 부모인데 월세 비싸다고 좋은 학교를 포기할 순 없지 않았겠는가. 주저하지 않고 입주를 결정했다. 아파트는 버지니아 페어팩스 카운티의 워싱턴 D.C.까지 전철로 이동할 수 있는 곳에 있었다. 거주지에 따라 아이들이 배정된 학교의 학생은 대부분 백인이었고, 한국 아이들이 일부 섞여 있는 공립초등학교였다. 미안한 얘기지만, 좋은 학교인지 아닌지를 흑인학생 비율이 얼마나 되느냐로 쉽게 판단하기도 한다.

'영어로 의사소통이 안 되는 아이들인데 학교 가서 괜찮을까.' '왕따 당하진 않을까.' 걱정이 태산 같았는데, 첫날 학교를 다녀온 아이들 표정이 무척 밝았다. 왕따 같은 건 없었고, 아이들이 잘 대해줬단다. 외국에서 온 학생이 많은 미국 초등학교에는, 영어를 못 하는 아이들을 위해 ESL(English as a Second Language) 코스가 대개 개설돼 있다. 학교마다 구체적인 운영 방식은 조금씩 다르지만, 우리 아이들이 다니던 초등학교는 원칙적으로 정규학급에서 수업을 듣되 영어 수준에 따라 ESL 코스 참여 시간을 따로 정해 두었다. 난 학교 방침이 훌륭했다고 생각한다. 어떤 학교는 영어 못하는 아이들을 완전히 분리해서 따로 ESL 코스를 듣도록 하는 곳도 있다. 그럴 경우, 학교적응이 늦어지고 영어 습득도 당연히 더뎌질 수밖에 없지 않았을까.

아이들이 학교를 다녀오면, 유학 초기엔 엄마가 과제물 챙기고 영어도 가르쳤다. 수학이나 과학 같은 과목은 한국 학교에서 배우던 것에 비교하면 수준이 낮은 편이어서 쉬웠다. 학업 부담이 적으니, 아이들이 학교에 적응하기 수월한 이점이 있었다. 집에 있을 땐 아이들에게 디즈니 채널 만화영화를 많이 보도록 장려했다. 그렇게 두세 달이 지나고 나자 엄마가 더는 영어를 가르칠 필요가 없게 됐다. 아니, 가르칠 수가 없게 됐다고 하는 편이 맞을 것이다. 아이들 영어 습득 속도가 놀랍도록 빨랐기 때문이다. 어른들은 잘 이해하지 못하는 디즈니 만화영화를 그새 키득거리며 보고 있었으니까.

"만화영화를 그새 어떻게 알아듣니?"

"그냥 아는데요."

'참, 내!'

6개월쯤 지나자 아이들이 제법 말을 하기 시작했다. 가만히 듣고 있으면 문법적으로는 오류가 꽤 있었으나, 의사소통하는 데는 별문제가 없어 보였다. '정말 신기하군!'

미국 초등학교에서는 다양한 과외 활동을 한다. 아이들은 미술, 체육 시간도 즐거워했고, 밴드와 스카우트 활동, 요리반 수업에도 적극적으로 참여했다. ESL 과정에서 정기적인 테스트를 받는데, 한 학기가 끝날 무렵 아이들은 ESL 수업이 필요 없을 정도가 됐다. 한주에 두어 시간만 ESL에 참여하고, 나머진 대부분 정규수업을 듣게 됐다.

일 년에 한 번 미국 전역을 대상으로 영재 판별 테스트를 한다. 큰아이가 높은 점수를 받아 영재로 분류됐다. 4학년을 마치고 5학년 올라갈 때 영재학교 배정을 받았지만, 애틀랜타로 이사하는 바람에 영재학교에 직접 다녀보진 못했다. 아이들 영어 실력은 날로 향상됐다. 한 학년을 마칠 무렵에는 문법적으로도 거의 완벽한 영어를 구사하고 있었다. 한국식으로 영문법을 물어보면 대답하진 못했지만.

### 저렴하게 유학 보내기

아이들만 조기유학을 보내기도 하지만, 여러 가지 부작용이 따르는 것이 사실이다. 그런 부작용이 염려된다면, 엄마가 전업주부일 경우 엄마와 아이를 묶어 보내보자. 나는 유학을 간 경우이므로 비자 유형은 F1이었다. F1비자 소지자의 동반 자녀는 공립학교를 무료로 다닐 수 있다. 아이들 엄마가 정규 대학이나 대학원에 유학하거나, 적어도 F1 비자가 나오는 어학연수를 오면서 아이들을 데리고 와 공립학교에 보내기도 한다. 아이가 둘이면 한 사람 학비로 세 명이 유학하는 셈이니, 남는 장사 아니겠는가. 내가 효과를 직접 체험했기에 말하지만, 영어 습득만 놓고 본다면 조기유학의 기회를 아이들에게 주는 건 좋다고 생각한다. 물론, 여러 가지 여건은 고려해야 할 것이다. 외국어 습득 능력에 개인차가 있다는 점도 감안해야 한다. 영어 습득에 1년은 좀 짧고, 2년이면 적당한 것 같다. 2년이 지나 돌아올 무렵 작은아이는 원어민과 똑같이 발음했고, 혀가 말려 한국어 발음에 문제가 생길 정도가 되었다. 캐나다의 경우 기독교계 사립학교에 아이 둘을 보내면 한 명 학비는 무료라는 얘길 들었다. 물론, 크리스천이어야 한다. 이 때문에 가짜 크리스천이 늘어나, 학교에서 검증을 강화했다고 한다.

### 이민 겸 유학의 장점

미국이든 캐나다든 영주권자는 고등학교까지 공립학교는 무상으로 다닌다. 대학에 진학하면 장학금은 물론, 다양한 학비 지원 제도가 있다. 외국인 신분의 유학생이라면 누리기 힘든 혜택들이다. 아이들이 토론토에 살고 있으니, 토론토가 속한 온타리오주를 예로 설명해 보겠다.

온타리오주 정부에서는 Ontario Student Assistance Program(OSAP)이라고 하

는 학비지원 및 융자 제도를 운영하고 있다. 학생의 소득 수준에 따라 차등해서 지원하며, 학교 졸업 후 분할해서 갚아야 하는 순수한 융자(loan)와 갚지 않아도 되는 무상지원(grant)이 있다. 영주권자나 시민권자는 대학 입학 시 장학금 혜택도 더 많고, 저소득층 자녀를 위해서는 대학 자체에서 학비 일부를 무상지원 해 주기도 한다. 토론토대학교도 UTAPS라는 프로그램이 있다. 작은 아이는 경영대학이라 학비가 비싸다. 영주권자 학비를 적용받는데도 한 해 18,000불이 넘는데, OSAP 지원과 별도로 토론토대학교에서 1만 불 전후의 학비 지원을 해준다. 물론, 소득 수준에 따라 지원액은 달라진다.

이재에 밝은 중국인들은 유학을 이용해 오히려 돈을 벌기도 한다. 중국을 비롯한 중화권 학부모들이 자식의 유학비용을 뽑기 위해 미국 부동산을 대거 사들이고 있다는 보도가 홍콩의 사우스차이나모닝포스트(SCMP)에 실렸다. 이들은 미국에 아파트를 사서 방 하나를 자식이 쓰게 하고, 나머지 방은 세를 줘 임대료를 받는다. 유학이 끝나면 적당한 시기에 아파트를 처분한다. 가격이 내리면 더 보유하지만, 가격이 올랐으면 곧바로 팔고 이익을 실현한다. 유학비도 벌고, 잘 하면 추가 수익도 올리는 것이다. 돈 있는 유학생 부모라면 자기 돈을 들여 위와 같은 방식으로 투자할 수 있을 것이다. 살림이 넉넉지 않은 집이라면, 그림의 떡일 수도 있다. 다행히, 미국이나 캐나다엔 모기지 제도가 있다. 예를 들어, 50만 불짜리 집을 산다면 그 가격의 15~20% 정도만 내가 지불하고, 나머지는 은행에서 대출받아 해결한다. 개인의 신용도에 따라 다운페이(downpayment) 금액이 커질 수는 있지만, 그래도 적은 돈으로 집을 살 수 있게 해주는 유용한 제도임에는 틀림없다. 캐나다의 경우 영주권을 취득하고 갓 입국한 이민자가 정착하기 쉽도록 처음 5년간은 소득이 없어도 모기지 대출을 받을 수 있게 해준다. 이 제도를 이용해서 아이들이 지낼 집을 수월하게 살 수 있다. 어차피 내야하는 월세를 고려하면, 그 돈으로 모기지 상환을 할 수 있어서 이익이다. 부동산 호황기에는 가격상승 이익까지 누릴 수 있으니, 백번이라도 시도해 볼만한 투자다. 토론토 일대도 최근 2~3년간 부동산 가격이 급등했다.

이젠 조기유학의 열풍도 주춤하다. 많은 돈을 들여 유학하고도, 귀국해서 적당한 일자리를 찾지 못해 방황하는 모습도 흔히 본다. 예전 같은 유학 성공신화는 막을 내린 듯하다. 유학광풍이 불었던 중국도 우리와 마찬가지라고 한다. 중국의 한 부모가 집 팔아 마련한 2억 원의 돈으로 딸의 호주 유학비용을 댔다. 6년 동안 재무 분야를 전공하고 석사학위까지 받았어도, 귀국 후 취업 현실은 냉혹하기만 하다. 기업이 중국 내 인적 네트워크를 중시하니, 유학생 출신이 오히려 불리하다. 어렵게 취업해도, 연평균 5,100만 원에 달하는 유학비용에 비춰보면 연봉 수준이 높지도 않다. 상황이 이럴수록, 유학 후 귀국보다는 현지 취업과 정착이 훨씬 나은 선택이 될 수 있다. 영주권을 취득해 이민 겸 유학을 하면, 선택 폭은 크게 넓어진다. 학비 지원과 기타 경제적인 면에서도 다양한 이점이 있다. 특히, 국내 경제 상황이 좋지 않으면, 현지 정착으로 쉽게 대안을 찾을 수도 있다. 우리 아이들도 현지에서 정착할 계획이다. 높은 청년 실업률로 치열한 국내 취업 시장에 우리 아이들까지 귀국해 가세할 필요는 없지 않겠는가.

젊은이들이 이민이나 유학을 계획해보지만, 현실의 벽은 높다. 무엇보다, 영주권 취득이 어렵다. 아이들이 어릴 때부터, 부모가 미리 준비해서 기회를 만들어 주면 좋을 것이다. '돈'이 아닌 '노력'으로 가능한 일이다.

## 잉글리시 디바이드

"우물 안 개구리에게는 바다를 이야기하지 마라.
한 곳에 매여 살기 때문이다."
_장자

### 영어 실력 차이가 소득 차이

영어 실력 차이로 인해 사회·경제적 격차가 커지는 현상을 '잉글리시 디바이드'라고 한다. 세계 100대 대학 중 영어권 대학이 75개이고, 인터넷 정보의 51%가 영어로 돼 있다. 선진문물을 받아들이기 위해서는 영어로 된 문헌을 접해야만 한다. 영어 실력이 바로 지식과 경제력의 원천이 된다는 뜻이다. 스위스 제네바대 언어경제학자 프랑수아 그랭은 2001년에 영어 실력이 소득에 미치는 영향을 분석했다. 스위스에서 영어를 유창하게 하는 사람과 그렇지 못한 사람의 연봉 차이가 남자는 30.7%, 여자는 21.6%에 이른단다. 영어 실력의 격차가 소득 격차를 낳고, 경제 격차가 다시 영어 능력의 격차를 낳고, 결국엔 빈부 격차로 굳어진다는 뜻이다.

2012년 KDI(한국개발연구원)가 이미 '영어교육 투자의 형평성과 효율성'이라는 보고서에서  영어 성적이 국어, 수학 등 다른 과목과 비교해 소득 수준에 비례하는 민감성이 높다는 사실을 밝힌 바 있다. 영어 실력이 우수한 근로자가 그렇지 않은 경우보다 높은 연봉을 받고 있다고도 한다. 그 차이는 토익 1점 당 연봉 16,000원이다.

KDI는 여기서 보다 중요한 사실을 언급한다. "영어 능력자들이 받는 임금 프리미엄은 영어 능력 자체가 아니라, 영어 능력을 갖춘 사람이 가지고 있는 다른 특성에서 나올 가능성이 높다." 왜냐하면 영어 능력을 갖춘 조사 대상자는 영어가 필요한 직업군이건 아니건 상대적으로 높은 연봉을 받는 것으로 나타났기 때문이다. 영어가 업무상 필요하지 않아도, 영어 실력이 뛰어난 사람이 더 높은 연봉을 받는다는 뜻이다. '소득과 영어 실력은 비례한다.' 흔히 듣는 말이다. 지금은 어려서 부모 따라 해외 생활을 한 아이들도 많고, 영어유치원이다 어학연수다 해서 돈 있는 집 아이들이 영어를 잘 할 가능성이 높은 게 사실이다. 과거 나와 같은 또래에서 영어를 잘하는 아이들은 소득과 별반 관계가 없었다. 어학연수 같은 차별화된 영어 학습 기회가 없었던 때니까, 잘 사는 애나 못 사는 애나 가진 무기가 같았다. 그러니 차이는 오로지 노력에서 나왔다. 사전과 영어 참고서를 통째로 외우는 피나는 노력을 한 아이들이 영어를 잘했다. 영어를 잘 하는 아이들이 공부하는 과정을 상상해 보자. 해외에서 살지 않은 이상 영어 학습은 암기 과정이다. 이 세상에 암기를 좋아하는 사람은 없다. 그런데도, 반복해서 영어 단어를 외우고, 영문법을 익혀서 영어를 잘하게 된다. 영어를 잘 하는 아이들은 목표의식이 뚜렷하고, 자기절제에 능하며, 노력하는 아이들일 것이다. 영어뿐만 아니라 외국어 학습은 짧은 시간에 효과가 드러나지 않는다. 많은 아이가 며칠 하다 포기한다. 그러니, 영어 잘 하는 아이들은 끈기 있는 아이들일 가능성이 매우 크다. 영어 공부를 하다보면, 영미권 문화를 접하면서 시야가 넓어지고, 영어로 된 명문을 반복해서 읽으니 자연스럽게 사고도 깊어진다. 덤으로, 영어를 잘하면 자신감도 커진다.

영어를 잘 하는 사람이 소득도 높고, 잘 사는 이유에 수긍이 가지 않는가. 열심히 영어 공부를 한 사람은 지적 활동의 결과 의식과 사고능력이 달라질 수밖에 없다. 성공하는 인생에 한 걸음 더 가까이 가 있는 것이다. 이제는 영어뿐만이 아니다. 영어와 중국어를 동시에 가르치는 '반반' 유치원도 등장한 지 이미 오래고, 중국어까지 취업 준비생의 필수 스펙이 돼가고 있다. 중국어 실력 차이가 소득에 영향을 미치는 '차이니즈 디바이드' 시대도 성큼 다가온 것이다. 결국, 영어, 중국어 등 외국어를 하느냐 못 하느냐는 업무 능력에 직접 영향을 미칠 뿐만 아니라, 정보 습득의 양과 질에서도 엄청난 차이를 낳는다. 장기간의 외국어 학습 과정에서는 성실성이 체화되고, 다양한 배경지식까지 덤으로 얻는다. 그러니, 영어, 중국어 등 외국어를 공부하자. 인터넷 시대에 시간과 돈이 없어서 영어공부 못 한다는 말은 핑계에 지나지 않는다. 내가 어렸을 때는 원어민의 영어 발음을 들을 수조차 없었다. 주한미군 방송인 AFKN은 서울 등 일부에서만 시청할 수 있었다. TV, 영화마저도 성우가 더빙녹음 한 채 방송했다. 기껏해야 영어회화 테이프가 유일한 매체인데, 거기에 길들면 현지에 가서 원어민 말을 하나도 알아들을 수 없게 된다. 그건 '죽은' 영어이기 때문이다. 지금은 영화, TV, 인터넷방송, YouTube 등 원어민이 정상 속도로 말하는 '살아있는' 영어를 접할 기회가 넘친다. 해외 어학연수보다 더 효과적으로 영어를 배울 수 있는 프로그램을 제공하는 학원도 많다. 문제는 '노력'이다. 지금도 나는 출퇴근길에 미국 공영라디오에서 방송하는 NPR News를 듣는다. 출연자들이 표준발음으로 말하기 때문에 비교적 알아듣기 쉽다. 왕복하면 하루 한 시간인데, 절대 적지 않은 시간이다. 이런저런 핑계 대지 말고 해보자. 효과를 믿어라. 꾸준히 듣고 따라 하면 된다. 대신, 몇 년이고 계속해야 한다.

영어 학습에 대해 한 가지 덧붙이자면, 회화 위주 학습을 맹신하지 말라는 것이다. 언어를 잘 하려면 독서를 많이 해야 한다. 나는 이 사실을 미국 유학 중 경험적으로 깨닫게 됐다. 언어는 듣기와 읽기를 통해 입력된 언어재료가 머릿속에서 가공돼 말하기와 쓰기로 표현된다. 특히 읽기는 가장 효과적인 언어 입력수단이다. 많이 읽을수록 더 잘 쓰고, 어휘력이 풍부해진다. 문법도 정확해진다. 후에 안 것이지만 제2 언어 습득이론으로 유명한 세계적인 언어학자 스티븐 크라센 박사가 이미 학문적으로 정립한 바이기도 하다. 그는 언어가 학습이 아니라 습득이며, 모국어 학습과 독서가 그 바탕이 된다고 말한다. 한국말을 잘 하는 사람이 영어도 잘 하는 것은 당연한 이치다. 외국어를 잘 하고 싶거든 국어든 영어든 많이 읽기 바란다.

영어도 인공지능이 대신해줄까?

알파고와 이세돌 9단의 대국에서 알파고가 완승하니, 인공지능에 대한 인식이 크게 바뀌었다. 이제는 구글과 네이버가 인공신경망 기반 번역 서비스도 제공하고 있다. 인공신경망 기반 번역은 아기가 시행착오를 겪으면서 무언가를 배워가는 원리를 적용한다. 우리 뇌의 뉴런을 흉내 낸 인공지능 프로그램을 만들고, 이 인공지능에게 수많은 한글-영어 번역 데이터를 줘서 스스로 학습하도록 하는 방식인 것이다. 상황이 이렇다 보니, 이런 의문이 들게 된다.

"앞으로 컴퓨터가 다 통역해 줄 건데 외국어는 뭣 하러 배우니?"

과연 그럴까? 사람이 인공지능에 전적으로 의존한다면, 세상은 어떻게 변하게 될까? 기술이 발전하면 인공지능이 통역과 번역을 사람보다 잘 할지도 모른다. 이제 휴대폰 카메라만 갖다 대면 번역도 해준다. 그래도, 통·번역의 대상과 목적은 사람이 정해야 한다. 통·번역 결과물을 받아보고, 취사선택하는 것도 사람 몫이다. 인공지능은 사람을 돕는 비서다. 현명하게 판단할 책임은 주인인 사람에게 있으니, 주인은 그만한 능력을 갖춰야 한다. 최후의 선택과 결정은 사용자인 사람의 몫이기 때문이다. 사고와 표현을 가능하게 하는 언어는 인간의 본질적 능력이다. 그러니, 인공지능 시대에도 외국어는 공부해야 한다. 인간이 바보가 되고, 영화 '터미네이터'처럼 기계가 인간을 지배하는 세상에서 살 수는 없지 않은가.

### 외국어 차이는 정보격차도 낳는다

'디지털 디바이드(Digital Divide)'란 말이 있다. 교육, 소득수준, 성별, 지역 등의 차이로 정보에 대한 접근과 이용이 차별되고, 그 결과 경제사회적 불균형이 발생하는 현상을 말한다. 한마디로, 컴퓨터, 인터넷, 스마트폰 사용 격차가 정보격차로, 다시 사회경제적 격차로 이어진다는 뜻이다. 그러나 정보격차는 디지털 디바이드로만 발생하지 않는다. 디지털 기기로 획득한 정보를 수용하고 활용하는 과정에서는 언어를 도구로 이용해야 한다. 2017년 현재 인터넷 웹사이트의 약 51%는 영어로 쓰여 있다. 한국어 비중은 0.9%에 불과하다. 중국의 경제 규모가 커지고 영향력이 더 강해지면, 중국어 정보도 따라 증가할 것이다. 일본은 여전히 세계 3위의 경제 대국이다. 일본의 과학기술 연구 수준은 세계 일류 수준이어서, 일본 학생들이 영미나 유럽으로 유학하지 않게 된 지 이미 오래됐다. 일본의 앞선 과학기술 연구 성과가 일차적으로 일본어로 쓰인다는 말이다. 일본 학생들이 너무 유학을 안 가서 우물 안 개구리가 되는 것 아니냐는 우려도 있지만, 과학 분야 노벨상 수상자는 계속 나오고 있다.

잉글리시 디바이드, 나아가 외국어 격차는 결국 정보격차로, 다시 소득과 사회경제적 격차로 이어질 수밖에 없다. 성공을 바라는 흙수저가 외국어를 열심히 공부해야 하는 분명한 이유다.

# CHAPTER V
# 흙수저 연금술의 6가지 핵심전략

# 남의 시선 무시하고 핵심에 집중하기

"지혜란 무시해도 될 일이 무엇인지 판별하는 기술이다."
_윌리엄 제임스

## 남의 시선 떨쳐내기

체면 문화 때문일까, 우리나라 사람들은 남의 시선에 유난히 신경 쓴다. 남의 의견에 쉽게 흔들리고, 내 사정에 맞추기보다는 남들이 어떻게 하는지에 더 관심을 둔다. 남에게 보여주기 위한 삶을 사는 듯도 하다. 남의 시선에서 벗어나지 못하니, 늘 긴장하고, 비교하고, 불행하다. 사실은, 남들도 내가 그들을 어떻게 생각하는지 신경 쓰며, 노심초사하고 있는데도 말이다. 참, 아이러니 아닌가. 나는 남들 시선 때문에 신경 쓰여 죽겠는데, 남들은 나를 신경 쓰느라 매우 피곤하다는 사실이. 동양의 체면 문화는 서양의 죄의식 문화와 대비되는 수치심 문화에서 파생되었다고 보는 견해가 설득력 있게 들린다. 체면문화는 공동체 안에서 사람과 사람 사이에 형성되는 상대적 개념이어서, '남'을 의식하는 표현이 자주 등장하게 된다. '남부끄럽게', '남의 이목', '남보란 듯이'가 그 예이다.

이런 문화 탓에 호화로운 결혼 예물과 예단 교환, 크고 화려한 조상 묘지 조성, 수백만 원이 넘는 핸드백이나 억대 자동차 구매, 적성 불문 삼수를 해서라도 보내려는 명문대학 진학, 자식들에게 번듯해 보이는 직업 강요, 남편 직업과 직위 비교 등으로 끝없이 상처받고 있지는 않은지 돌아볼 일이다. 예물과 예단은 양가 합의로 기본 예의를 갖출 정도만 하고, 나머진 아껴서 자식들 살림에 보태면 좋지 않을까? 장례는 화장이나 수목장으로 모시면 좋지 않을까? 수백만 원짜리 핸드백을 들지 않으면 못갈 모임이라면, 탈퇴해도 되지 않을까? 큰 차가 꼭 필요하다면, 잘 탄 중고차로 장만해도 되지 않을까? 자식들 대학은 하고 싶은 전공 찾아 보내면 안 될까? 의사, 변호사, 교수와 같이 남들에게 자랑하기 좋은 직업 말고, 자식들 하고 싶은 일 하게 밀어주면 행복하지 않을까? 남편이 보람 있게 일하며 가족들 부양한다면, 자랑스러운 직업 아닌가?

남의 시선을 의식하고 비교하게 되는 주된 무대가 각종 모임이다. 나와 아내는 나가는 모임이 거의 없다. 각자 두세 개 정도가 전부다. 그마저도 독서 모임이나 전문가 모임 같은 종류이므로, 나가서 옷 자랑 차 자랑 할 일도 없다. 우리집이 항상 평온한 이유도 쓸데없는 비교를 당하지 않는 데 있다고, 나는 믿는다.

아이들 전공과 진학 대학 결정도 모두 아이들 의사에 맡겼더니, 결과에 모두가 행복했다. 스스로 한 결정이니 각자 알아서 노력했고, 원하는 전공을 찾아 명문대학에 진학했다. 아이들 결혼할 때는 최소한의 예물 교환으로 검소한 결혼식을 치르고, 여윳돈은 생활기반 닦는데 보태줄 생각이다. 나는 훗날 죽거든 화장해서 흔적 없게 해달라고, 기회가 있을 때마다 가족들한테 얘기한다. 해외에서 살 아이들이 내 무덤이나 봉안당을 찾아다닐 수 없을 것이라는 현실적인 고려도 있고, 종교적으로도 나는 봉안당에 뼛가루 갖다 놓는 게 아무 의미가 없다고 생각한다. 게다가, 무덤이든 봉안당이든 결국 좁은 국토를 잠식하고, 환경오염을 유발하는 요인 아닌가. 대신, 내가 죽은 날 자식들이 모여 부모를 추억하고, 형제간의 우의를 다지는 기회로 삼으라고 당부할 것이다. 그 날은 내 아이들이 부모와 함께했던 세월을 담은 영상기록물 같은 것을 만들어, 손자들과 함께 보며 추억하길 바란다. 조상의 덕을 기리고 후손들의 번영을 기원하던 제사의 본래 뜻에도 더 부합할 것으로 생각한다. 종교적 의식은 철저히 배제할 것을 당부하겠다. 요즘은, 부모와 자식 간은 물론, 부부간에도 종교가 다른 경우가 많다. 종교적 자유는 보장해야 한다. 제삿날에 모여 누구는 종교의식을 행하고, 누구는 멀뚱히 서서 방관해야 하는 어색하고 불편한 장면을 연출한다면, 가족 간의 화합을 오히려 해칠 수 있다고 믿는다. 이것은 내 주관적인 생각이고, 내 부모 세대의 생각을 바꿀 수는 없으니, 내가 죽으면 자식들에게 실천하게 하려 한다.

내가 상대적으로 남의 시선을 덜 의식하고 살 수 있는 것은 성장 과정과도 관련이 있다. 나는 어려서부터 모든 의사결정을 내가 주도하며 살아왔다. 학교에 다니지 않아, 주변에 비교 대상도 없었다. 검정고시를 거친 때문에, 동창회니 동아리니 하는 잡다한 모임도 없다. 세상의 어떤 일도 좋기만 하거나 나쁘기만 할 수는 없다. 학교에 다니지 못해 많은 것을 놓쳤지만, 나는 세상을 내 의지대로 살 힘을 얻었다. 놓쳤던 많은 것들도 시간이 흐르면서 대부분 회복했으니, 나에겐 결국 자기 주도적 삶만 남은 것이다.

사람들 속에 북적이며 사는 게 좋은 분들은 그렇게 사는 게 좋다고 생각한다. 모임에 나가 교류하고, 세상사는 얘기도 하고, 그러다 자식 자랑, 남편 자랑도 하면서 말이다. 그것이 세상 사는 재미다. 대신, 그런 삶에서 회의를 느낀다면 두려워 말고 자신의 삶으로 돌아올 것을 권한다. 두려워할 만큼 외롭진 않다. 가족과 함께하며, 평안과 삶의 만족을 얻을 수 있을 것이다. 내가 살고 싶은 삶을 살아보자. 남에게 피해를 주는 것도 아니지 않은가? 어차피 인생은 내 것이고, 다른 사람이 대신 살아줄 수 없다. 남들은 내 인생에 별 관심이 없다. 관심 있는 척할 뿐이다. 진심인지 아닌지는, 내 인생에 대한 관심이 '비용의 지출'을 필요로 할 때면 극명하게 드러날 것이다. 내가 어려울 때 끝까지 곁을 지켜주는 사람은 대개 가족뿐이다. 물론, 정말 어려울 때 도움 주는 친구가 있다면, 당신은 행복한 사람이다.

성공하는 사람들은 남들이 무슨 생각을 하든지 거의 신경 쓰지 않는다고 한다. 남들은 우리 생각을 하는 게 아니라, 우리가 자기들을 어떻게 생각할지 걱정하고 있으니까. 남들에겐 내가 곧 신경 쓰이는 '남'인 것이다. 재밌지 않은가? 그러니, 남의 시선이나 신경 쓰며 사는 건 정말 의미 없는 일이다. 또한, 남의 시선 눈치 보기와 비교하고 아파하기를 더욱 악화시키는 우리의 잘못된 체면 문화는 반드시 극복해야 한다. 그러는데 필요한 덕목은 다름 아닌 의지와 용기다. 남이 나를 어떻게 생각하고 어떻게 평가하든 내 신념에 따라 생각하고 행동하는 것이 중요하다. 여기에 다른 사람에게 피해를 주지 않아야 한다는 전제가 따라옴은 물론이다.

### 우선순위 제대로 정하기

나 같은 흙수저 출신은 어려서부터 제약을 많이 받고 자란다. 억눌린 만큼 하고 싶은 것, 되고 싶은 것도 많았다. 시간이 많을 땐 돈이 없었고, 돈이 좀 생기니 시간이 없다. 어느 분야에서 건 성공하려면 엄청난 시간과 에너지를 쏟아부어야 한다. 1만 시간의 법칙도 그것을 말해 준다. 사람에게 허용된 시간과 에너지에는 한계가 있기 마련이니, 한 사람이 동시에 여러 분야에서 특출하기는 거의 불가능하다. 그래서 우선순위가 필요하다.

### 마당발의 허와 실

사회생활에서 인맥이 중요하다는 것은 상식으로 통한다. 소위 '마당발'이 부러움의 대상이 되는 이유도, 넓은 인맥이 성공에 도움이 될 거란 믿음 때문이다. 마당발의 기본은 지인들의 경조사와 각종 모임에 개근하는 것이다. 정치나 영업을 하는 사람들에게는, 특히 이런 식의 인맥관리가 중요하다고 인식된다. 문제는 넓고 얕은 마당발식 인맥관리가 성공하는데, 그리고 행복한 인생을 사는데 얼마나 효과적인지 의문이라는 점이다.

영국 옥스퍼드대학교의 진화생물학자 로빈 던바 교수는 원숭이 · 침팬지 등 영장류를 연구하다, 대뇌의 신피질이 클수록 사귀는 친구가 많다는 사실을 알아냈다. 인간의 경우에는 대뇌 신피질의 크기를 고려할 때 친분을 유지할 수 있는 사람 수가 약 150명 정도라는 결론을 얻었다. 던바 교수는 호주, 뉴기니, 그린란드 등 오지에 남아 있는 원시 부족 형태 마을의 구성원 평균이 150명 안팎이라는 사실도 발견하여, 자신의 추론을 뒷받침하였다. 던바 교수는 아무리 발이 넓고 사람 사귀는 재주가 뛰어나도, 진정으로 사회적인 관계를 맺을 수 있는 최대 한계는 150명이라고 한다. 이것이 이른바 '던바의 법칙'이다. 던바의 법칙에 따르면, 페이스 북이나 트위터 같은 SNS 친구도 150명 정도만 가깝게 연락하고 지낸다고 한다. 친구가 1,000명이 넘는 파워 유저라 해도 친한 관계는 150명 정도며, 그중에서도 특히 끈끈한 관계를 유지하는 건 20명도 되지 않는 것으로 나타났다. 카이스트 연구진이 싸이 월드의 미니홈피 40만 개의 방문자를 분석한 결과에서도, 친한 친구의 수는 이 범위를 크게 벗어나지 않았다고 한다. 원만한 사회관계 속에서 자기 주도적인 삶을 사는 것이 행복한 삶을 이루는 핵심이다. 그만큼 사회관계는 중요하나, 사회적 동물인 인간에게는 관계의 양적 크기보다 질적 깊이가 더 중요하다.

이제는 마당발 신화에 대한 맹목적 믿음으로, 넓고 얕은 의미 없는 인간관계를 맺느라 자신을 계발하고, 인생을 풍요롭게 할 시간을 낭비하진 말자. '인맥이 넓은 사람' 같은 남의 평가는 무시하고, 흙수저 탈출을 위해 필요한 우선순위를 현명하게 정하자는 말이다.

나는 사교모임이 거의 없다. 초 · 중 · 고를 건너뛰었으니 동창회가 있을 리 없고, 대학도 동문의 세가 약해 지역을 벗어나 다른 지방에 가면 동창회가 존재하지 않는다. 술을 못 하니 자발적으로 모임을 만드는 일도 없다. 대인 관계가 좁아지는 문제가 있는 건 분명하나, 대신 나 자신에게 집중하고 자기계발에 힘을 쏟을 수 있었다. 보는 시각에 따라 큰 약점일 수 있지만, 약점을 장점으로 만드는 것은 내가 할 일이라 생각한다. 인맥과잉 시대에 나 자신과 더욱 중요한 일에 집중하기 위해서, '인간관계 다이어트'가 필요하다고 생각하지 않는가?

### 선택과 집중

원래, '선택과 집중'은 하버드대학교 경영대학원 마이클 포터 교수가 주창한 경영전략 이론이다. 현실적으로, 한 사람이나 기업이 동원할 수 있는 자원과 역량의 총량에는 한계가 있다. 여러 사업이나 전략에 동시에 투자하면, 자원의 분산이 일어나 오히려 하나도 제대로 할 수 없게 될 것이다. 현대 산업사회가 도래한 이래, 기업경영뿐 아니라 모든 종류의 의사결정에서 가장 폭넓게 절대적 신뢰를 받아온, 최고의 의사결정 원칙이라 할 수 있다. 이 이론은 두 가지 목표가 상호 모순적인 상황일 때를 전제로 한다. 한 가지를 선택하면, 다른 선택은 버려야 하는 관계일 때 말이다. 물론, 이에 대한 반론도 있다. 스탠퍼드 경영대학원의 제임스 마치 교수는, 상반된 대안 중 하나만 선택하고 집중해야 한다는 전통적 이론은 절대 불변의 진리가 아니라고 한다. 오히려, 이 두 가지를 동시에 추구할 방법을 창조적으로 찾아야 한다고 제안했다.

우리는 흙수저다. 흙수저가 왜 흙수저인가? 가진 것 없이 맨손으로 태어나서 흙수저 아닌가. 실현 가능한 꿈을 꾸는 것은 '선택'이고, 구체적인 목표를 세우고, 우선순위를 정하고, 중요한 것부터 골라 실행하는 것은 '집중'이다. 가진 자원이 극도로 제한된 흙수저에겐 제임스 마치 교수의 제안이 적용될 여지가 줄어든다고 생각한다. 초콜릿 복근을 가진 멋진 몸을 원한다면 운동을 열심히 하고, 초고속 승진을 원한다면 워커홀릭이 되는 것이 유리하다. 무대 위에서 멋진 공연을 하려면 고된 연습을 견뎌야 한다. 내가 감내한 고통이 나를 만드는 법이다. 인생에서 중요하지 않은 곁가지는 쳐내고, 중요한 것에 집중해야 한다. 선택을 잘 하려면, 무엇보다 우선순위를 제대로 매겨야 한다. 우선순위를 정하는 것은 가치판단의 문제다. 더 나은 인생을 살려면, 더 나은 가치를 선택해야 한다. 적어도 좋은 가치와 나쁜 가치를 구별하는 기준은 세워볼 수 있다. 좋은 가치라면 무엇보다 현실에 바탕을 두고 인간과 사회에 이로운 것이어야 한다. 당연히, 나쁜 가치는 인간과 사회에 해로우며, 실현 가능성이 없는 허황한 것들이다. 한 가지 기준을 덧붙이자면, 그 가치를 내가 통제할 수 있는가도 고려할 요소이다. 우리가 직접 통제할 수 없는 것을 추구할 때 우리는 불행하다. 목표 성취 여부가 나 아닌 남의 손에 달려 있기 때문이다. 남의 눈치를 보고, 남에게 잘 보이기 위해 노심초사하며, 남의 스케줄에 맞춰 살아야 한다. 자기 주도적인 삶을 살 때 우리는 행복하다. 이러한 기준들을 고려해서, 나에게 소중한 가치를 지키는 데 도움이 되는 목표를 정하고 노력해보자.

나도 대학 다닐 때 친구 만나 술도 마시고, 여행도 하고, 당구도 치며, 즐겁게 지내고 싶은 마음은 굴뚝같았다. 사교활동을 통해 사회성을 키우며 인격적 성숙을 꾀할 수 있고, 사고의 폭도 넓히고, 그들이 훗날 소중한 인맥이 될 수도 있으니, 대학생활의 중요한 부분이라 생각한다. 나는 극히 제한된 돈과 시간을 어디에 쓸 것인지 선택해야 했다. 당시 나에게 최우선 순위는 무사히 대학을 졸업해서 취업하는 것이었고, 그러려면 무조건 장학금을 받아야 했다. 나는 도서관 행을 택했다. 대학 신입생 때 못 배워 지금도 나는 당구를 못 친다. 회식하고 "당구 한 게임 합시다." 이런 제안을 받을 때 약간 불편함을 느끼지만, 속으로는 이렇게 말한다. '그래서 내가 여기 있는 거야!'

인생은 어차피 선택의 연속이다. 군대에 있을 때도, 전방 OP에 올라가서 외부와 격리된 채 산신령처럼 살며 자기계발 할 시간을 확보할 것인지, 아니면 후방 지원 부서에 근무하며 즐거운 군대 생활을 할 것인지 선택해야 했다. 물론, 나는 전방 OP 근무를 선택했고, 2년여의 공부할 시간을 벌었다. 나에게 가장 중요한 일은 전역 후 취업이었고, 그것은 나의 생사가 걸린 일이었다. 그 결과 나는 네 개 회사의 입사가 확정됐고, 그중 골라서 취업할 수 있었다. 회사 생활도 선택의 연속인 건 마찬가지다. 상사들 취향에 맞춰 살며 소위 사내정치를 열심히 할 것인지, 아니면 일은 열심히 하되 남는 시간은 나와 가족을 위해 살 것인지 선택해야 한다. 나는 회사에 대한 충성과 상사에 대한 충성은 다르다고 생각한다. 물론, 상사에 대한 충성이 회사에 대한 충성이 되는 경우도 많지만, 엄밀히 얘기하면 양자는 다르다. 특히, 소유 주체로서 오너의 정체성이 명확하지 않은 공기업은 더욱 그렇다. 나는 회사에 충성하되, 남는 시간은 나와 내 가족을 위해 쓰기로 했다. 그 결과 회사에서 크게 출세했다고 하기는 어려우나, 아이들은 건강하게 자라 해외 명문대학에 진학했고, 아내는 공직에서 성공했다. 6남매 중 막내지만 84세 노모를 모시고 살고 있다. 나는 내 선택으로 일과 삶의 균형을 이뤘고, 인생에서 성공했다고 자부한다.

우리는 일상생활에서도 끊임없이 선택한다. 그중 중요한 것이 여가 시간 활용이다. 일하고 잠자는 시간을 빼면, 우리가 차별화할 수 있는 유일한 시간이기 때문이다. 여가는 다양한 취미 활동을 하고, 친구도 만나면서 보낼 수 있다. 그 나름대로 의미 있고, 중요한 일이다. 나는 그 시간을 책 읽고 자격증 공부도 하며, 나 자신의 내실을 다지는 데 썼다. 나는 늘 나 자신이 부족하다고 느낀다. 가식이 아니라 정말 그렇다. 지식도, 지혜도, 인격도 많이 부족하다는 걸 잘 안다. 그래서 여가 시간을 취미 활동으로 보내는 건, 그냥 시간을 흘려보내는 것 같아 흥미를 못 느낀다. 이것도 선택의 문제다. 나는 그 시간에 책 읽고 공부하기로 했다. 그 자체가 즐거워서 따로 취미 활동을 할 필요도 없었다. 그 결과 한 개의 박사학위와 네 개의 석사학위, 그리고 다섯 개의 전문 자격증을 갖게 되었다. 이것들이 나중에 쓸모가 있을지 없을지는 중요하지 않다. 그 과정이 나에게 지적 확장과 인격적 성숙을 가져다주었으니, 그것만으로도 충분하다.

나는 모두 나처럼 살라고 주장하는 것은 아니다. 다만, 누구나 '선택'은 할 수 있다는 점을 말하고 싶다. '사회생활 하려면 어쩔 수 없어', '회사 다니며 어떻게 공부해', '상사가 원하는데 해야지' 등등……. 모두 핑계가 아닐까?

### 당신의 '선택'이 문제다

모두 고스톱을 쳐 본 경험이 있을 것이다. 화려한 색깔의 광이 몇 장씩 포함돼 좋은 패가 들어 올 때도 있고, 거무튀튀한 피만 잔뜩 들어올 때도 있다. 그런데, 결과가 늘 패의 좋고 나쁨에 따라 결정되지는 않는다. 고수는 상대의 패를 읽고, 나올 패를 예상해서 가장 좋은 선택을 한다. 그렇게 해서 결과를 뒤집기도 하고, 최소한 '피박'은 면한다. 카드 게임도 마찬가지다. 포커 게임을 많이 해 본 사람은 좋은 카드를 받은 사람이 승리할 가능성이 크지만, 승자는 결국 주어진 상황에서 가장 좋은 선택을 계속 한 사람이라는 것을 안다. 야구 같은 스포츠도 마찬가지다. 주전선수가 부상으로 빠진 최악의 상황에서도, 감독이 선택만 잘 하면 경기를 뒤집을 수 있다. 적절한 시기에 대타를 기용하는 선택, 상대 타자를 가장 잘 공략할 투수로 적시에 교체하는 선택 말이다.

우리 모두 카드를 받는다. 포커 판에서 받은 카드가 우리 인생에선 주어진 환경이다. 어떤 사람은 남보다 좋은 카드를 받고, 어떤 사람은 나쁜 카드를 받는다. 나쁜 카드를 받아 든 사람은 일단 실망하겠지만, 실제 게임의 결과는 우리가 그 카드로 어떤 선택을 하는가에 따라 달라진다. 우리 같은 흙수저에게 희망이 되는 말 아닌가? 비록, 나쁜 카드를 받고 태어났지만 가지고 있는 카드로 가장 나은 선택을 반복하면, 인생에서 승자가 될 수도 있다는 말이니까. 흙수저의 인생역전도 당연히 고비마다 어떤 선택을 하느냐에 달려있다. 나는 학교에 다니지 못 한 대신 독학을 선택했고, 검정고시로 고등학교를 또래보다 빨리 마쳤다. 청소년기엔 어설픈 취업 대신 대학진학을 선택했고, 학비는 장학금을 받아 해결했다. 군대 시절엔 남들이 꺼리는 근무지를 선택했고, 그 시간을 이용해 부족한 공부를 했다. 회사생활을 하는 동안에는, 즐거운 저녁 술자리 대신 주경야독을 선택했다. 그 결과 박사가 되었고, 해외 유학을 다녀왔다. 주어진 환경에서 계속된 최선의 선택이 지금의 나를 만들었다.

'선택과 집중'이라는 경영전략 이론은 우리처럼 극히 제한된 자원만 가지고 태어난 흙수저에게 더 유용하다. 우리는 가장 우선순위가 높은 일을 선택하고, 잘 할 수 있는 일에 집중해야 한다. 우리의 행복감은 스스로 내 일을 결정할 수 있을 때 느끼는 심리적 자유로움과 가족과 친구를 포함한 공동체와의 유대감에서 나온다. 그러니, 시샘에 빠진 남들의 부당한 평가나 왜곡된 시선에 신경 쓰지 말고, 자신에게 가장 중요한 목표에 집중한다면 성공에 더해 행복해지기까지 한다. 우리에게 가장 중요한 것은 무엇인가? '나'와 나의 '가족'의 행복, 그리고 그들을 위한 '성공' 아닌가.

영화에서 폭풍우를 만나 침몰 위기에 처한 배가 짐을 바다에 버리는 장면을 본 적이 있을 것이다. 그런 행위를 영어로 'jettison'이라고 한다. 비상 시 비행기나 선박이 무게를 줄이기 위해 짐을 버린다는 뜻이다. 사람의 생명을 구하기 위해서는 아무리 값비싼 물건이라도 포기해야 한다. 우리가 험한 인생 항로에서 난파 위기에 처한 흙수저라면, 가장 소중한 가치를 지키기 위해 우선순위가 처지는 것들은 과감히 버려야 한다. 그러니 퇴근길에 즐기는 삼겹살에 소주 한 잔도, 경우에 따라서는 버릴 수 있어야 하지 않을까.

## 틀에서 벗어나 자기 주도적 삶 살기

"너는 안이하게 살고자 하는가? 그렇다면 항상 군중 속에 머물러 있으라.
그리고 군중에 섞여 너 자신을 잃어버려라."
_니체

### 남이 깔아놓은 트랙 피하기

강남의 영어유치원은 월 250만 원이 넘는다는 비용에도 입이 벌어지지만, 7세가 넘으면 늦었다고 안 받아주기도 한다니 할 말을 잃게 된다. 초등학교 입학 전부터 시작되는 각종 학원과 과외 순례는 고등학교까지 계속되고, 국제중, 외고, 국제고, 과학고, 자사고 등 엘리트 코스를 거쳐 명문대학을 나와 취업 경쟁. 취업 후에는 승진과 좋은 보직을 향한 경쟁이 또 계속된다. 이 코스는 압도적인 정보력과 풍부한 자금을 바탕으로 인생 레이스에서 자신의 자녀들이 질주할 수 있도록 금수저들이 깔아놓은 트랙이다. 우리 같은 흙수저가 같은 트랙 위를 경쟁하며 달리면 어떻게 될까? 아마도, 부모는 파산하고 아이들은 정신 상담이 필요한 상태가 되고 말 것이다. 저출산의 한 원인이라고 지목받는 과도한 자녀 사교육비 부담도 여기서 파생된 문제다.

흙수저가 금수저와 같은 트랙을 뛰려는 것은 마치 산업생태계에서 벤처나 스타트업이 시장지배자인 대기업에 '맞장' 뜨는 것과 같다. 스타트업은 대기업이 세워놓은 경쟁규칙을 따라서는 결코 이길 수 없다. 대기업이 흉내 낼 수 없는 '독특함'으로 경쟁해야 한다. 품질 경쟁력과 마케팅 면에서 거대 조직과 자본을 가진 대기업을 스타트업이 이길 수 없으니 그렇다. 스타트업은 의사결정이 기민하고, 조직은 단순하며, 무엇보다 '생존'이 절실하다는 점에서 흙수저와 닮았다. 흙수저도 살아남기 위해서는 독특함을 무기로 경쟁해야 한다.

35년 전 내 얘길 하면 '그 때는 옛날이지 않느냐'고 반문할지 모르지만, 그 때도 강남 8학군은 있었고, 고액 과외와 금수저를 위한 엘리트 코스는 똑같이 존재했다. 내가 만약 그들 흉내를 내며 같은 트랙 위를 뛰려고 했다면 어떻게 됐을까? 강남에선 장래 자식들의 인맥형성에 유리하도록 유치원부터 학맥 관리를 한다는데, 초중고등학교를 검정고시로 건너뛰고 지방대학을 나온 나 같은 사람은 뭐가 됐겠는가. 내가 내린 결론은 그들이 깔아놓은 트랙을 그대로 따라가면 안 된다는 것이다. 내 페이스에 맞는 길을 찾아 뛰고, 나에게 맞는 '커리어'를 만들어 가야 한다. 필요하면 비포장 지름길로 가로질러 가야 한다. 그렇다고 해도, 편법과 사기는 절대 안 된다. '정도'를 따르되, 대신 몇 배 열심히 뛰어야 한다. 결국, 자기 주도적인 삶을 열심히 살면 독특함이 생기고, 경쟁력도 배가된다고 나는 믿는다.

### 복수 명함 만들기는 자기 주도적 삶의 확장

미국의 여성 변호사인 마시 알보어는, '칼럼리스트/작가/강연자'로서 다양한 활동을 하고 있다. 그녀는 한 가지 직업이 아니라, 시너지를 내는 여러 가지 직업을 갖는 것을 '슬래쉬 효과'라고 부른다. 명함에 쓸 직함 하나가 늘어날 때마다 슬래쉬(/)가 더해지니 그렇게 부르는 것 같다. 개그맨 변기수씨는 개그맨으로서 뿐만 아니라 연기자, 가수, 골프 방송 진행자 등으로 다양한 활동을 하고 있다. 역시 개그맨인 고명환씨도 배우로서 활동했고, 책을 썼으며, 강연, 뮤지컬 지도, 식당 경영까지 복수의 직업에서 성공적으로 활약하고 있다. 직장인은 대부분 겸직 금지 규정에 묶여 복수의 직업을 가질 수 없다. 그래도 책 쓰기는 제한 없이 할 수 있다. 전직이나 퇴직 후 인생이막을 위한 준비로서 다양한 자격을 따거나, 취미 활동을 업그레이드해서 창업을 준비할 수도 있을 것이다. 2017년 한 취업포털의 설문조사에 의하면, 직장인 열 명중 일곱 명은 자신의 직업에 불안을 느끼고 있다고 한다. 기대수명은 크게 늘어나 이미 '백세시대'라는 말도 진부해졌는데, 실질적 은퇴 나이는 오히려 줄어들고 있다. 세상은 더 빨리 변해 가는데, 우리는 여전히 평생 한 가지 직업에 기대어 살려고 한다. 이러한 경제 환경 속에서는 과거처럼 하나의 커리어에 모든 것을 거는 것보다, 자신의 커리어를 복수로 만들어가는 것이 중요하다. 내가 학위와 전문 자격을 더해 다양한 명함을 만들어 가는 것도 같은 맥락이다. 내가 딴 학위와 자격은 당연히 새로운 커리어로 연결된다.

많은 사람이 현재의 직업에 불만을 가지고 있지만, 먹고 살기에 급급해 은퇴한 후에야 비로소 하고 싶은 일을 찾으려 한다. 설사 현재의 직업에 만족한다 해도, 자신이 꿈꿨던 삶을 사는 사람은 극소수에 불과하다.

'좀 더 젊어서 하고 싶은 일을 할 수는 없을까?' 내가 줄곧 스스로 해온 질문이기도 하다. 나도 가족의 경제적 안정을 희생하고 꿈만을 좇아 모험할 수가 없어서 30년 가까이 직장생활을 하고 있지만, 해보고 싶었던 일은 분명히 있다. 그래서 시작했다. 현재 직업은 유지한 채, 새로운 수입의 원천을 복수로 만드는 노력을. 예를 들어, 학위와 전문 자격을 연계해서 글쓰기, 가르치기, 강연,

컨설팅 같은 일로 새로운 '커리어'를 만들어 낼 수 있다. 전문 자격으로는 개인 사무실을 내서 내 이름을 걸고 일할 수도 있다. 퇴직 전에는 전문성을 쌓으며 준비하고, 퇴직하면 모두 겸직도 가능하다. 가맹거래사 실무연수 때도 느낀 바지만, 우리 사회에는 여러 개의 전문 자격을 가지고 다양한 분야의 일을 성공적으로 해내고 있는 사람이 많다. 속담에 '재주가 많으면 밥 빌어먹는다.'는 말이 있다. 얕은 재주로 이것저것 기웃거릴 뿐 확실한 능력이 없을 때는 들어맞는 말이다. 역설적으로 들릴지 모르지만, 한 분야의 전문성이 고도로 높아지면 다른 전문 영역과 통한다. 사실이다. 그런 재주가 여럿이라면 밥 벌어먹기에 좋다.

꿈을 이루기 위해서건 성공적인 인생이막을 위해서건, 복수 명함 만들기는 목공이나 자동차정비처럼 평소에 관심 있던 기술을 배우는 것으로 시작할 수 있다. 관심 분야의 전문 자격과 학위를 따는 것도 바람직하다. 현실이 불만스럽다고 덜컥 사표를 던지는 행동은 절대 말리고 싶다. 주도면밀한 계획하에 충분한 시간, 준비가 필요하다. 경영학의 석학도 과도한 위험을 무릅 쓰는 의사결정은 경영자가 취할 바가 아니라고 했다. 자기경영의 주체로서 작은 경영자인 우리도, 가족의 생계를 위험에 빠뜨리는 모험은 함부로 할 일이 아니라고 생각한다. 내가 직업 전환을 위해 사표를 던져 새길을 찾지 않고, 30년간 힘든 주경야독을 해온 것도 같은 이유다. 삶의 변화는 더뎠고, 몸은 힘들어 중도 포기할 위기도 많았다. 많은 직장인이 화려한 변신을 꿈꾸지만, 대개 작심삼일에 그친다. 인생을 주도적으로 사는 것은 그만큼 어려운 일이다.

지금 하는 일이 불만인가? 5년이나 10년 후 내 삶이나 직업에 변화를 주고 싶은가? 인생에 뭔가 돌파구가 필요하다면, 구체적인 계획을 세우고 하나씩 실천해 보자. '욱'하는 마음에 충동적으로 저지르는 것은 답이 아니다.

### 다람쥐 쳇바퀴 벗어나기

다람쥐 쳇바퀴 돌리기. 많은 직장인이 자기 생활을 이렇게 묘사할 것이다. 그런데 당신을 쳇바퀴나 돌리는 다람쥐로 만든 것은 당신 자신이다. 더 많은 연봉과 승진이라는 먹이를 위해 주어진 일만 열심히 하면, 그게 바로 다람쥐 신세다. 조직에서 높은 직위와 그에 따르는 권력, 해마다 조금씩 오르는 연봉에 중독되면 쳇바퀴를 벗어날 수 없다. 자신만의 비전과 목표를 세우고, 명함을 하나씩 더해 가면 쳇바퀴 벗어나기에 도움이 된다. 나는 학위와 자격증을 추가해서 쳇바퀴를 벗어났다. 나만의 커리어를 꿈꿀 수 있게 된 것이다.

현재 내가 가지고 있는 자격증은 미국 변호사, 호주 공인회계사, M&A컨설턴트, 공인중개사, 행정사, 가맹거래사 등이다. 법대를 나왔지만 경영학석사 두 개를 가지고 있고, 법학석사 두 개와 법학박사 학위도 가지고 있다. 경영지도사 자격도 딸 계획이다. 어찌 보면, 이것저것 여러 분야에 혼란스럽게 걸쳐 있는 것처럼 보인다. 하지만, 나는 이 자격증들과 학위들을 일관된 목표를 가지고 따 왔다. 경영, 법률, 그리고 부동산 분야에 관련돼 있고, 서로 컨설팅 전문성을 보완하도록 설계돼 있다. 나는 앞으로도 퇴직 전까지 자격증을 더해갈 생각이다. 내가 하고 싶은 일을 하며, 거기서 즐거움을 얻고 덤으로 돈까지 버는 것, 그것도 정년 제한 없이. 내가 꿈꾸는 인생이막이고, 자기 주도적 삶이다. 나는 인테리어와 목공, 집짓기 등도 배울 것이다. 그 자체가 즐거운 일로서 취미가 됨은 물론이고, 부동산 관련 일에도 도움이 될 것이라 생각한다. 내가 앞으로 무엇을 해도 변치 않을 원칙 하나는, 끊임없이 배우고 새로운 일에 도전하며, 나 자신을 변화시켜 갈 것이란 점이다.

우리가 변화와 도전을 꿈꿀 때, '한 우물만 파야 한다.'는 믿음이 새로운 시도를 못 하도록 막는 면이 있다. 일생에 내가 꼭 해야 할 소명이나 한 가지 천직이 있다고 믿는 것도 그러한 맥락이다. 당신이 여전히 '한 우물 파기'라는 믿음의 신봉자라면 다음 말은 새겨들을 가치가 있다. 르네상스 시대에는 여러 가지 분야에 능통한 것을 이상적으로 여겼다. 레오나르도 다빈치는 화가이자 조각가, 발명가, 건축가, 기술자, 해부학자, 식물학자, 도시계획가, 천문학자, 지리학자, 음악가였다. 고대 그리스의 철학자들도 대부분 수학자이자 과학자이며 문학가였다. 최근에는 자연과학과 인문학을 연결하고자 '지식의 통합' 또는 '통섭'을 중요시하는 학문 연구 사조가 뚜렷하다. 1972년에는 R. H. 프레데릭슨이란 학자가 다방면에 뛰어난 능력을 갖춘 '다능인(multipotentialite)'의 개념을 처음 소개했다. 최근에는 다능인을 돕는 서비스를 제공하는 'Puttylike'의 창업자 에밀리 왑닉이 다능인은 사회 부적응자가 아니라 급격하게 변하는 경제 환경에서 정말 필요한 인재라는 사실을 알게 했다. 그녀 자신이 법학을 전공했지만, 기타 연주를 비롯해 다양한 재능을 가져 한 가지에 몰두했다 일정한 수준에 오르면 곧 다른 분야로 관심을 옮기는 다능인이다. 그녀와 같은 다능인은 한 가지에 몰두하지 못하는 사회 부적응자나 문제아가 아니라, 아이디어 통합능력과 빠른 습득력 그리고 적응력까지 갖춘 뛰어난 인재라 할 수 있다. 나는 다능인이라고까지는 할 수 없지만, 다양한 분야의 전문 자격과 학위를 취득하면서 그 시너지 효과로 인해 통합능력 · 습득력 · 적응력이 향상됨을 느꼈다. 기억 이론에서도 관련 분야의 다양한 지식을 가지고 있으면, 단기기억에서 장기기억으로 더 쉽게 이전된다고 한다. 즉, 기억력 향상에도 도움이 된다는 뜻이다.

에밀리 왑닉의 강연은 TED.com에서 들을 수 있다. Ted.com은 미국의 비영리재단으로서 기술(Technology), 오락(Entertainment), 디자인(Design)에 관한 탁월한 강연을 제공하고 있다. 요즘은 과학과 국제적 이슈까지 강연의 범위가 넓어졌다. 100여 개의 언어로 번역 제공되고 있어서, 누구나 쉽게 내용을 접할 수 있다. 훌륭한 강연이 많으니, 독자들도 들어보기 바란다.

여기서 일부 독자는 다양한 커리어를 추구하는 것이 '선택과 집중' 전략에 배치되는 것 아니냐는 의문을 가질지 모르겠다. 선택과 집중이 곧 '한 우물 파기'로 보일 수 있으니까. 나는 직장 생활에 '올인' 하지 않고, 일과 개인적 삶의 균형을 중시하는 선택을 했다. 직장에서 최고 직위로 올라가는 것이 성공이라는 일반의 인식과 달리, 인생을 풍요롭게 하는 자기 주도적 삶을 '선택'한 것이다. 그 선택에 '집중'하기 위해, 불필요한 시간 낭비를 최소화했고, 다양한 공부로 자기계발에 힘썼다. 내 방식은 여러 우물을 파 더 큰 상수원을 확보한 것과 같다. 여러 학위와 다양한 자격증이 모여 하나의 큰 우물이 된 셈이다. 그러니, 내 삶은 '선택과 집중' 전략에 배치되는 것이 아니라, 오히려 그 실현 과정이었다고 생각한다. 결국, 나에게 '한 우물 파기'는 평생 한 분야만 파야 성공한다는 뜻이 아니라, 한 분야에서 성공하기 위해 그 우물을 열심히 파되, 다 파고 나면 다른 우물도 팔 수 있다는 뜻으로 유연하게 해석된다. 그리고 '선택과 집중' 전략은 원래 상호 배치되는 선택 상황을 전제로 한 이론이다. 여러 대안이 배치되지 않고 상호 보완적이라면, 복수 대안 동시 추구가 오히려 시너지 효과를 키울 수도 있다.

## 독서와 공부로 유연하게 사고하기

"책을 한 권밖에는 읽은 적이 없는 사람을 경계하라."
_벤저민 디즈레일리

아는 만큼 보인다

경험적으로 우리는 이 말이 사실임을 알고 있다. 개는 ×만 보이고, 스님은 부처만 보인다는 말도 내 관심사와 지식의 양에 따라 세상을 다르게 지각한다는 뜻이니 맥락은 같다. 그림을 놓고 보면 일반인과 비평가가 주목하는 디테일은 천양지차다. 미세한 음의 차이를 알아채야 하는 음악도 그렇지만, 예술뿐일까. 사물과 사람 얼굴까지 다 그렇다. 같은 물건이나 생물이라도 관심이나 친분, 지식에 따라 인지하는 정보량은 크게 차이가 난다. 사회현상이나 역사적 사건을 보며, 그 이면의 흐름을 읽어내고 의미를 해석해 내는 능력처럼 방대한 지식과 사고력을 필요로 하는 분야는 말할 것도 없다.

'아는 만큼 보인다.'의 과학적 근거를 보여주는 연구결과가 있다. 미국의 존

스홉킨스대 연구진이 2016년 3월 2일 자 '실험심리학 저널'에 발표한 연구결과다. 연구진은 실험에서 아랍어에 능통한 전문가 집단과 생전 한 번도 아랍어를 접한 적이 없는 일반인 집단으로 나눴다. 이들에게 빠르게 지나가는 두 아랍 문자가 똑같은지, 다른지를 판단하게 하고, 이에 걸리는 시간을 확인했다. 결과는 예상대로였다. 일반인은 전문가보다 정확도가 떨어졌고, 시간도 오래 걸렸다. 연구진은 실험을 통해 '아는 만큼 보인다.'는 것 외의 새로운 사실도 밝혀냈다. 알고 있는 것이 많으면, 보이는 것의 중요도 차이도 판별해 낼 수 있다는 것이다. 아랍어에는 곡선이나 점, 줄 등에 따라 의미를 달리하는 문자들이 있다. 형태는 더욱 복잡해 보이지만, 아랍어 능통자는 이러한 복잡한 기호를 단순해 보이는 문자보다 오히려 쉽게 구별해냈다. 연구진 중 한 명인 로버트 와일리 교수의 언론 인터뷰 내용에 따르면, 뭔가를 전문적으로 안다는 것은 남들은 보지 못하는 부분을 파악하는 것은 물론, 시각적인 측면을 비롯해 사안의 핵심을 파악할 수 있는 능력도 갖춘다는 것이라고 한다. 뭔가에 대해 깊이 있게 아는 것은 더 많은 관련 정보를 인지할 수 있게 할 뿐만 아니라, 그 부분적 정보가 가진 중요도까지 파악할 수 있는 능력을 길러준다는 설명이다.

제한적인 정보만 가진 사람이 보이는 사물의 이면을 꿰뚫어 보고, 사안의 다양성을 포괄하는 유연한 사고를 한다는 것은 거의 불가능한 일이다. 유연한 사고란 하나의 틀에 갇혀 하나의 방법만 고수하는 것이 아니라, 여러 가지 가능성과 상황에 따라 사고방식을 창의적으로 바꾸는 것을 의미한다. 다양한 정보를 갖기 위해 많은 책을 읽고, 그 정보를 분석하여 합리적인 결론을 내릴 지적 능력이 필수적이란 뜻이다.

일반적으로 사람들은 과거의 경험에 기대어 판단하고 생활한다. 과거에 효과적이었던 방법으로 얻은 성공 경험에 취해 굳어진 자신의 방식을 고수하는 것이다. 학교 다닐 때는 이 방법이 잘 통했을 수 있다. 사회에 나가면 이 방법은 그 적용 범위가 매우 제한적이어서, 자신을 수동적으로 만드는 위험한 방식이 되고 만다. 시시각각 변해가는 다양한 정보를 습득하고, 입체적인 사고로 이를 분석 · 선별 · 활용하지 못하면, 판단은 오류에 빠지게 된다. 과거의 경험에만 매달려 편협한 사고로 사물을 판단한다면, 피할 수 있었던 실패를 일일이 경험해 봐야 하는 위험에 노출된다. 우리는 일상에서 크고 작은 수많은 선택을 한다. 그때마다 고정관념에 사로잡혀 끊임없이 자신에게 불리한 결정을 할 것이고, 흙수저의 수렁은 더욱 깊어질 것이다. 유연한 사고는 이처럼 중요하다.

내 또래의 부모님 세대는 양의학을 무조건 불신하는 경향이 있다. 한의학에 의존하면 그나마 다행이다. 문제는 근거 없는 민간요법 맹신이다. 나의 장인은 고혈압약 처방을 받았음에도 불구하고, 민간요법에 의존하다 농사일하던 중 쓰러져 돌아가셨다. 나의 아버지는 누나 목에 난 혹을 민간요법을 하는 사람을 찾아가 독한 약을 써 캐내려다 큰 흉터를 남겼다. 그뿐인가. 종기처럼 부풀어 오른 세 살짜리 어린 형의 혀를 불로 지져 평생 트라우마를 남겼다. 후에 혀의 종기는 비타민 C를 먹고, 즉시 사라졌다 한다. 편협한 사고가 낳은 비극의 예이다. 어른들이 중요한 의사 결정을 그르쳐 가정 경제와 자식들 장래를 망친 사례는 이루 헤아릴 수 없이 많을 것이다. 그 결과가 흙수저 신세를 면치 못하고 있는 우리들 아닌가. 유연한 사고를 가능하게 하는 틀은 각자가 가지고 있는 세계관이다. 세계관은 독서와 사색, 직 · 간접적 경험을 통해 형성된다. 여행이나 대화를 통한 직접 경험과 독서를 통한 간접 경험 모두 유연한 사고를 위해 필요한 것들이다. 그중 짧은 시간에 가장 효과적으로 광범위한 경험을 쌓고, 사색할 기회를 주는 것은 역시 독서다. 공자와 맹자를 읽고, 서양의 학문은 배척한 채, 성리학만 신봉했던 아버지의 예를 생각하면, 다양한 독서는 매우 중요하다.

### 정말 책 속에 길이 있다

누구나 책을 읽고 감명을 받은 적이 있을 것이다. 어려선 위인전을 읽고 원대한 꿈을 꾼 적도 있을 것이다. 당신이 먹고살기 바빠 꿈을 잃었다면, 다시 책을 읽어 보자. 나는 어려서 퀴리 부인과 아인슈타인 전기를 읽고, 물리학자를 꿈꿨다. 칼 세이건의 코스모스를 읽고서는, 천문학자가 되고 싶었다. 사도법관 김홍섭을 읽고 나서는, 청빈하면서도 따뜻한 법관이 되고 싶어졌다. 링컨 대통령의 전기를 읽고서는 다시 역경을 이겨낸 훌륭한 인물이 되고 싶어졌다. 내가 되고 싶었던 사람들은 모두 자신의 분야에서 위대한 업적을 남겼다. 나에게 꿈을 심어줬고, 삶에 의미도 부여해 줬다. 훌륭한 분들을 닮고자 노력하면서, 조금씩 인격적 성숙도 이룰 수 있었다.

대학에 입학해 법학을 공부하면서, 처음 정의가 무엇인지 고민한 계기가 됐다. 논리적 사고체계를 갖추게 됐고, 세상을 법의 틀을 기반으로 이해하는 눈을 갖게 됐다. 경제학을 공부하면서는, 세상이 희소한 자원을 효율적으로 나누기 위해 여러 주체가 경쟁하는 거대한 시스템이란 것을 알게 됐다. 대학원에서 경영학을 전공하면서, 조직의 목표 달성을 위한 의사결정 과정을 배웠다. 인적자원관리, 재무관리, 생산관리, 마케팅 등 각 분야의 이론과 실무를 배웠음도 물론이다. 다시 대학원에서 회계학을 전공하면서, 회계 서류를 읽고 기업 상태를 알 수 있는 눈이 생겼다. 국가의 조세 부과 체계와 개별적인 세금 부과 기준도 배웠다. 미국 로스쿨에서 미국 헌법을 공부하면서, 미국의 건국 정신과 지금의 미국을 만든 주요 헌법 판례를 배웠다. 미국 변호사시험 공부를 하면서 수많은 미국 실정법과 판례를 공부했다. 박사 과정을 하면서는 상사법 전반은 물론 회사법과 행정법, 기업이론과 법경제학 이론을 심도 있게 공부했고, 논문을 완성했다. 공인중개사, 가맹거래사, 행정사 등 국가전문자격을 공부하면서, 부동산학, 부동산등기법, 부동산세법, 민사집행법, 행정학, 행정절차법, 행정심판법, 가맹사업법, 경제법을 공부했고, 가맹거래사 연수 과정에서 프랜차이즈 사업 전반을 배웠다. 이렇게 다양한 분야의 책을 읽고 공부하며 배운 지식은 단순히 지식의 산술적 합으로 끝나지 않는다. 그 몇 배로 사고의 영역이 넓어지고, 인식의 틀이 질적으로 바뀐다. 입체적이고 유연한 사고가 가능해지고, 사물의 이면까지 보게 되는 것은 덤이다. 그 결과 부동산, 주식 등 재테크에서 성공하여 부를 키웠고, 돈 들이지 않고서도 자식들을 해외 명문대학에 진학시켰다. 남부럽지 않은 연봉을 받으며, 직장생활도 성공적으로 해왔다. 인생을 살면서 흔들리지 않게 중심을 잡고, 내 인생의 주인으로 살고 있다. 모두가 책 읽고, 공부한 덕이다. 그밖에 지금까지 읽은 수많은 책이 지금의 나를 만들었고, 고비마다 나아갈 길을 밝혀 주었음은 물론이다.

당신이 만약 세상에서 길을 잃었다면, 책을 많이 읽지 않았을 가능성이 크다. 책을 읽지 않으면 자기 인생의 의미를 발견하기 어렵다. 인생의 의미를 모르니 주인이 될 수도 없다. 주인 아닌 노예의 삶은 절대 행복할 수 없다. 책을 읽으면 능력이 향상되고 지혜도 밝아진다. 자연히 세상의 중요한 일을 맡게 될 수도 있다. 자수성가의 전형으로 불리는 벤저민 프랭클린은 성서와 철학 서적을 탐독하고, 정치와 문학 등 다양한 분야를 독학했다. 그렇게 쌓은 인문적 소양은 다양한 분야에서 크게 활약하는데 밑거름이 되었다. 좁은 전문 영역에 안주하지 않고, 자신이 쌓은 광범위한 지식을 전문 분야와 연계함으로써 활동 영역을 넓혀갔던 것이다. 모두 독서의 힘이다.

책 한 권을 몰입해서 읽으면 저자의 인생에 들어갔다 나온 느낌이 든다. 저자의 성취에 환호하고, 인간승리에 감동하며, 인간애에 공감하게 된다. 책을 읽으면서 의식이 변하기 시작한다. 사고의 폭이 넓어지고 유연해진다. 행동과 습관도 조금씩 따라 변한다. 이런 경험이 반복해서 쌓이면 성격이 변하고, 인생이 변한다. 그래서 지속적인 독서와 공부가 필요하다.

## 21세기 문맹 탈출

괴테는, 유능한 사람은 항상 배우는 사람이라고 말했다. 그럼, 유능한 사람은 왜 항상 공부할까? 말할 것도 없이, 과학과 기술, 지식의 발전 속도가 너무나 빠르기 때문이다. 어제 배운 지식으로 겨우 오늘을 버티고, 내일이면 무용지물이 되는 시대니까. 대학을 나오고 대학원까지 나와서 사회생활을 하고 있으니, 공부가 필요 없다고 생각하는 사람이 있는가? 아니다. 미래학자 앨빈 토플러에 따르면 21세기의 문맹자는 글을 읽을 줄 모르는 사람이 아니라, 학습하고 교정하고 재학습하는 능력이 없는 사람이다. 끊임없이 배우지 않으면 문맹자나 다름없다는 말이다. 21세기의 문맹자가 되고 싶은 독자는 하나도 없을 것이다. 인터넷 시대 세줄 요약이 매너가 된 지금, 스마트폰 세대에게 읽고 쓰기는 점점 어려운 일이 돼 가고 있다. 2014년 문해 능력 조사에서 국민 10명 중 3명이 글을 읽고 제대로 이해하지 못한다는 결과가 나왔다 한다. 인터넷망을 타고 빛의 속도로 새로운 지식이 생산되는 시대에는 정보 유통기간이 짧아져 읽기 능력이 없으면 도태되고 만다.

나는 근래 들어 독서의 필요성을 더욱 절감하고 있다. 미친 듯이 책에만 빠져 살고 싶다는 생각도 든다. 직장생활 때문에 맥이 자꾸 끊기는 게 불만이다. 머지않아 오롯이 책을 읽고 글을 쓰면서 살 때가 오길 소망하고 있다. 과거의 내 독서는 주로 실용서에 집중됐다. 이뤄야 할 단기 목표들이 시급했기 때문이다. 앞으로는, 내면을 강화하고 의식을 확장할 진짜 공부를 위해 독서할 생각이다.

'양이 질을 능가한다.' 했던가. 개인적으로는 초보자일수록 다독이 중요한 것 같다. 어느 정도 독서량이 쌓이면, 관심 분야를 정해 놓고 집중적으로 독서하거나, 수준 높은 전문서적을 읽는 것도 좋을 것이다. 학자는 물론이고 정치지도자나 기업경영인, 어느 분야에서건 훌륭한 업적을 남긴 사람치고 책을 많이 읽지 않은 사람은 없다. 항소이유서를 직접 써 글쓰기로 일찍이 이름이 알려진 유시민 작가도, 독서는 글쓴이가 전해 주는 생각과 감정을 있는 그대로 느끼는 게 중요하다고 강조한다. 다만, 목표 권수를 정해놓고 무조건 많이 읽으려는 자세는 바람직하지 않다. 책을 읽고 저자의 생각과 감정을 공유하고 내면의 변화를 얻지 못한다면, 온전한 독서가 아니기 때문이다. 생각과 감정이 풍성해지고 삶이 넉넉해지는 기분을 느끼는 것, 그것이 바로 '독서의 맛'이니까. 게다가 다양한 독서와 공부를 하면 덤으로 자식들과 대화가 되는 기쁨도 얻는다. 대략 한 세대 30년의 차이가 나는 부모와 자식은 한 공간에서 살아간다 해도 사실은 딴 세상에 사는 것이나 마찬가지다. 그 갭을 독서와 공부가 메워주고, 깊이 있는 대화를 가능하게 해준다. 부모와 자식 간에 신뢰와 정도 도탑게 한다. 나는 경영학을 전공하는 딸과는 마이클 포터의 경영전략을 논하고, 마케팅과 재무관리에 관해 얘기한다. 재즈를 전공하는 아들과 대화를 위해서는 시간 날 때마다 재즈를 듣고, 재즈 관련 문헌을 찾아보며 공부를 한다. 인생에 대한 일반적인 조언과 경험담 공유는 기본이다. 자식들의 전문 분야에 관심을 두고 함께 대화할 수 있는 부모라면, 자식들에게 외면당하진 않을 것이다.

### 지난해 독서

지난 한 해는 국가 전문자격 취득의 해였다. 2개의 자격을 따고, 하나는 1차 시험을 통과했다. 시험공부에 매달리느라 일반 독서는 틈틈이 했다. 공부하며 읽은 책, 가볍게 읽은 책, 필요 때문에 읽은 책을 더하니 수험서까지 70권이 된다. 일부는 과거 읽은 책을 다시 읽기도 했다. 시험 목적 때문에 공부하며 읽은 책은 많게는 열 번까지 반복해서 읽느라, 다른 책 읽을 시간을 많이 빼앗겼다. 새 책은 서울 가면 서점에서 사고, 그 외에는 그때그때 인터넷으로 주문해서 사본다. 여기저기서 눈에 띄는 책이 있으면 빌려보기도 하고, 동네 도서관도 자주 간다. 수험서 공부는 독서가 아니라고 말하는 사람도 있으나, 내 생각은 다르다. 수험서에서도 지식을 얻는 것은 물론, 각 과목 나름의 이념적 배경과 논리적 체계가 있다. 나는 거기서 배운다.

### 전문가 활용에 인색하지 말라

사람은 익숙한 환경에 안주하면서 사고가 굳어지기 쉽다. 세상의 변화를 외면하게 된다. 남의 생각을 배척하게 된다. 사고의 유연성을 갖추는 건 매우 중요하다. 그래야, 남의 의견을 수용하고 자신의 단점을 보완할 수 있다. 줏대 없는 팔랑 귀가 되라는 말이 아니다. 주체적으로 남의 의견과 세상의 정보를 수용하라는 말이다. 주체적이 되려면, 역시 공부가 필요하다. 배우려면 자신이 부족하다는 것을 인정해야 한다. 세상엔 나와 다른 가치관, 나와 다른 삶이 수없이 존재한다. 마음을 열고 세상과 소통하며, 나와 다른 이들의 목소리에 귀 기울여야 한다. 넘쳐나는 정보를 끊임없이 거르고, 또 비판적으로 수용해야 한다. 그리고 겸손해야 한다. 내가 겸손해야 마음을 열고 세상을 받아들일 수 있다.

세상엔 성공한 사람, 부자가 된 많은 사람이 분명히 존재한다. 성공한 사람, 부자가 된 사람의 성공 요인을 배워 적용하면, 나도 성공하고 부자가 될 수 있지 않을까?

"저 사람들 다 사기꾼이야."

"어쩌다 운이 좋았던 거지."

"나도 다 해봤는데, 그거 안 돼."

이런 생각으로 무조건 배척하고 있지는 않은가? 물론, 세상엔 사기꾼도 많다. 내가 모르면 속을까 두렵다. 그래서 손이 닿지 않는 포도가 신포도라며 자신의 무능을 감추는 여우처럼, 합리화하고 있지는 않은가. 먼저, 내공을 갖추고 세상에 마음을 열면, 나를 성공과 부로 이끌어 줄 유익한 정보와 훌륭한 전문가를 선별해 낼 수 있다. 전문가는 내 부족한 지식과 사고능력을 보완해준다. 전문가를 상시 채용하면 억대 연봉을 줘야겠지만, 필요할 때만 빌려 쓰면 얼마간의 수수료로 충분하다.

최근에 오래된 지인으로부터 연락이 왔다. 처제가 8억 원짜리 다가구주택을 샀는데, 하자가 많고 구조도 건축물관리대장과 다르단다. 산 지 얼마나 됐느냐고 물었더니, 2년이 지났단다. 소개한 부동산에는 연락해 봤냐고 했더니, 수수료 아끼려고 매도인과 직거래 계약서를 썼단다. 이 정도면 손 쓸 방법이 없다. 부동산 업자를 통하지 않았으니, 중개물건 하자를 이유로 배상책임도 묻지 못한다. 민법상 매도인의 하자담보 책임도 그 하자를 '안 날'로부터 6개월 이내에 물어야 한다. 숨어 있던 하자는 이제 알았다고 주장해서 어떻게 해본다고 하지만, 정작 중요한 불법 구조변경은 책임을 묻기가 어려워 보였다. 8억 원짜리 집을 사면서 건축물관리대장과 실제 건물 구조도 확인해보지 않았다는 얘긴데, 사실상은 몰랐다 하더라도 그 주장은 받아들여지기 어려울 것이다. 건축물관리대장상에는 방 5개인데 실제는 6개로, 간단한 육안 확인만으로도 알 수 있는 사실이었으니까. 대략 상황을 설명해주고, 전문 변호사와 상담해 보라고 했지만, 안타까웠다. 불법 건축물에는 은행에서 전세금 대출도 안 해준다. 이 건도 그래서 문제가 됐다. 집을 살 때 전문가 도움을 받았더라면…….

나는 전문가의 서비스를 적극적으로 활용해야 한다고 믿는다. 사이비 전문가에게 너무 많이 속아 그렇게 된 면도 있겠지만, 우리나라에 만연한 전문 서비스를 공짜로 생각하는 풍토는 고쳐져야 한다. 정당한 대가를 치르고 좋은 서비스를 적극적으로 활용하는 것이 실패하지 않는 지름길이다. 내가 모르는 전문분야를 돈 몇 푼 아껴보겠다고 혼자서 꼼지락거리다가는 일을 그르치기 십상이다. 우리나라는 기본적으로 '서비스를 공짜로 생각하는 경향이 있다'고 지적한 전중훤 대표의 생각에 전적으로 공감한다. 기계설비나 건축물 같은 유형물에 대해서는 그렇지 않은데, 눈에 안 보이는 서비스의 가치는 너무 가볍게 여긴다. 그래서는 서비스 산업 발전이 힘들 것이다. 고품질의 전문 서비스를 받지 못하게 되면, 결국 우리만 손해다.

## 성공의 선순환 열차 올라타기

"내 인생의 성공은 어떤 경우에도 15분 전에 도착한 덕분이다."
_넬슨 제독

### 자기 변화는 흙수저 탈출의 시작

성공은 '훌륭한 인격'을 갖춰 가는 데서 시작된다. 처음부터 완성된 인격을 가진 사람은 없다. 좋은 품성과 인격은 나 자신이 변해 가는 과정에서 얻어진다. 결국, 내가 변해야 성공한다는 말이다. 미국의 심리학자 윌리엄 제임스도 이렇게 말했다. "생각이 바뀌면 행동이 바뀌고, 행동이 바뀌면 습관이 바뀌고, 습관이 바뀌면 인격이 바뀌고, 인격이 바뀌면 운명까지도 바뀐다."라고. '인격'의 의미로 여러 가지 용법이 있지만, 일반적으로는 '사람으로서 품격'이라는 뜻으로 쓰인다. 인격을 목표 의지와 실천 능력의 의미로 정의한 경우도 있다. 정직, 성실, 책임감 등 인격을 구성하는 특성이 바람직한 방향으로 정립되면, 목표 의지와 실천 능력을 강화하는 쪽으로 정착될 터이니, 뜻이 서로 통한다고 할 수 있다. 우리가 타고난 흙수저의 운명을 바꾸려면 나쁜 습관과 결별하고, 목표 의지와 실천 능력을 당연히 갖춰야 한다. 이렇게 갖춰진 인격에서 파생된 후천적 특성과 선천적 품성이 합쳐져 '인성'을 이룬다. 사전적 의미로 인성은 '사람의 성품과 각 개인이 가지는 사고와 태도 및 행동 특성'으로 정의된다. '인성이 진정한 실력'이라는 말도 있다. 인성의 중요성을 강조한 것이다.

내가 먼저 훌륭한 인격과 좋은 인성을 갖추면, 좋은 배우자를 만나게 된다. 좋은 배우자 사이에서는 예쁘고 착한 아이들이 태어난다. 내가 열심히 노력하고 발전해가면 배우자도 따라온다. 좋은 본보기가 되는 부모 밑에서 자란 아이들은 훌륭하게 성장할 가능성이 높다. 내가 배우자에게 잘 하면, 배우자는 내 부모에게 잘한다. 부모가 효도하는 모습을 보고 자란 아이들은 말로 가르치지 않아도 효도를 배운다. 또, 훌륭하게 자란 아이들은 일찍 부모의 부담을 덜어준다. 자녀 양육의 부담을 던 부모는 노후 대비에 충실할 수 있다. 노후에 여유가 있는 부모는 다시 자식들을 돕고, 손주 양육의 부담도 나눠질 수 있다. 이렇게 부모의 지원을 받는 자식들은 더욱 발전하게 된다. 좋은 인성을 갖춘 아이들이 자라 사회에서 성공하고, 가정에서는 모범이 될테니, 흙수저 탈출의 진정한 모습이다.

손주 양육을 도와주는 할머니, 할아버지를 요즘 말로 '할마', '할빠'라고 부른다. '피딩족'이라는 신조어도 있다. 경제적으로 여유가 있고(Financial), 육아를 즐기며(Enjoy), 활동적이고(Energetic), 헌신적인(Devoted) 노인층의 머리글자(FEED)를 딴 말이다. 은퇴 후 노년을 즐기면서 활동적으로 살아가는 노인들로, 손주의 육아를 도우며 손주를 위해서라면 아낌없이 돈을 쓴다는 특징이 있다. 손주라면 사족을 못 쓰며 지갑을 여는 노인들을 겨냥한 상술에서 나온 마케팅 용어라는 비판도 있지만, 자녀 양육의 부담을 덜어주는 부모의 존재는 아이 낳기를 주저하는 자식들에겐 축복이다. 100년 후면 한민족과 한국어가 사라질지도 모른다는 연구결과가 있을 만큼 저출산 문제는 심각하다. '하나씩만 낳아도 삼천리는 초만원'이라며, 산아제한을 최우선 국가과제로 추진하던 시대를 나는 살았다. 지금처럼 한민족 소멸을 걱정하는 때가 올 것이라고는 상상도 하지 못했다. 맞벌이를 하지 않으면 남들처럼 번듯하게 살 수 없다는 젊은 부부들의 절박감을 충분히 이해할 수 있다. 여성의 경제활동은 여성의 자아실현은 물론 여성 인재 활용이라는 면에서 국가 경제 차원에서도 필요한 일이다. 그러니 여성이 육아 부담 없이 사회생활을 할 수 있도록 사회 시스템을 시급히 정비해야 한다. 그건 국가가 나서서 할 일이다. 대신, 한 개인에 불과한 내가 저출산 문제 해결을 위해 기여할 수 있는 일은, 자식들의 양육 부담을 덜어주는 피딩족이 되는 것뿐이라는 생각이 든다.

이와 같이 해서 자식 대까지 선순환 구조가 정착되면 비로소 흙수저 탈출이 안정화 됐다고 할 수 있다. 흙수저로 살아온 사람들은 일시적으로 성공한 듯 보여도, 다시 쇠락의 악순환에 빠질 가능성이 높다는 점을 유의해야 한다. 흙수저로 살아온 세월의 관성이 큰 탓이다. 로또에 당첨돼 벼락부자가 된 사람이 오래 못 가는 이유와도 서로 통한다. 그래서 흙수저는 일시적 성공에 방심하면 절대 안 된다. 흙수저로 살아온 관성에서 벗어나려면, 굳은 의지로 구태를 깨야 한다. 정해진 길을 벗어나 자기 변화의 '일탈'을 수단삼아 스스로 변해야 한다. 변화를 꾀하는 시도 하나하나는 습관이 되고, 습관이 반복되면 성격이 된다. 그러면 성공으로 가는 선순환 열차가 출발하게 된다.

거리에서 운전하다 보면 편법과 반칙이 몸에 밴 운전자들이 있다. 적색 신호 대기 중인 사거리에서, 차가 없는 우측 진입로를 가로질러 직진하던 길로 우회 진입해서 주행하는 운전자도 있다. 편법과 반칙에 더해, 어차피 같은 교통법규

위반인데 대놓고 할 배짱도 없는 것이다. 사소한 잘못된 운전습관에 불과한 것 같지만, 절대 그렇지 않다. 인생을 살아가는 기본적인 태도는, 또 그의 인성은 운전습관과 다르다고 장담할 수 없지 않은가.

그럼 자기 변화는 어떻게 시작해야 하는가? 답은 '독서'와 '공부'다. 책을 읽으면 꿈을 꾸게 되고, 그 꿈은 공부로써 이루게 된다. 공부하면 사람이 변하기 때문이다. 그러나 하루아침에 사람이 변하지는 않는다. 계속된 공부로 마침내 성격과 인성이 바뀌면, 궁극적으로는 사람의 미래와 인생도 바뀐다. 흙수저에게 이처럼 다행스러운 말이 또 있을까? 한 번도 나는 불우한 환경을 탓한 적이 없다. 열심히 노력하면 잘 될 거로 생각했고, 공부 외에 다른 길은 없다고 굳게 믿었다. 40여 년을 한결같이 변화와 발전을 시도했고, 그러한 노력은 습관이 되었다. 습관이 반복되니 마침내 지금의 성격과 인성으로 굳어졌다. 흙수저 인생이 바뀌었음도 물론이다. 인생을 살면서 자신을 변화시키고 성장시키는 것처럼 중요한 일은 없다. 그런데도 사람들은 다른 뭔가를 변화시키려 애쓴다. 답은 늘 내 안에 있는데 말이다. 이미 수많은 선현이 독서와 공부의 중요성을 강조했고, 내 경험에 비추어도 흙수저 탈출에 이 보다 확실한 길은 없는데, 현실은 실망스럽다. 교육 소외계층에게 세계적 수준의 교육 기회를 제공하겠다는 취지에서 만들어진 온라인 무료 강좌 제공 시스템 무크(Massive Open Online Course)의 실제 수강자 층을 조사해 보니, 이미 대학과 대학원 교육을 받은 사람이 절대 다수였다는 연구 결과가 있다. 정작 공부가 필요한 사람은 참여를 안 하니, 교육 불평등이 오히려 심화된 것이다. 사회에서 성공한 사람과 부를 일군 자산가가 책을 많이 읽고 공부도 더 한다는 조사 결과도 있다. 마음만 있으면 할 수 있는 독서와 공부도 안 하고서 흙수저 탈출을 바랄 수는 없다.

거친 환경이 능력을 키운다

흙수저로 태어나 겪은 역경과 불우한 환경 때문에 부모를 원망한 적이 있는가? 동물들보다 신체가 나약한데도, 현생 인류가 번창하고 첨단 문명을 꽃피운 것은 월등한 두뇌 능력 덕분이다. 인류 진화과정에서 호모사피엔스는 척박한 환경과 싸우며 살아남기 위해 머리를 썼다. 이 때문에 두뇌 용량은 급격히 커졌고, 유전을 통해 이를 후세에 물려줄 수 있었다. 단점이 극복되면서 장점이 된 것이다. 역설적이게도 살아남기 힘든 환경이 없었다면, 오늘날의 현생 인류는 존재하지 않았을 것이다. 마찬가지로, 불리한 환경을 극복하기 위해 몇 배 노력해야 하는 흙수저도 절망할 필요가 없다. 시련이 우리의 능력과 생존력을 배가시켜 주기 때문이다. 인류 진화의 역사가 이를 과학적으로 입증해 주지 않았는가.

한 결혼 정보 회사에서는 해마다 미혼남녀를 대상으로 이상적인 배우자감을 조사해서 발표한다. 평균이라는 것이 갖는 통계적 허점은 현실에서는 그러한 사람이 존재하지 않는다는 것이지만, 미혼남녀의 일반적인 인식은 알 수 있다. 2017년 조사에서 여성들이 원하는 신랑감의 키는 177.4cm였다. 170cm가 안 되는 단신인 나로서는 여러 가지 생각이 든다. 내가 결혼적령기에 있는 미혼 남성으로서 작은 키로 인해 여성들에게 외면당했다면 어땠을까? 다행히 나는 그런 절망감을 느껴본 적이 없다. 작은 키 말고도 부족한 것이 특히 많았던 나였지만, 내 잘못에 기인하지 않은 부족함은 부끄러워할 대상도 아니었다. 오히려 부족한 사람들이 느낄 상처와 자격지심을 이해할 수 있는 시각을 갖게 되었으니, 나에게는 행운이다. 역경은 우리를 단련시키고 능력을 키워 준다. 거기다, 단점 속에서 더 큰 장점을 찾아내는 '긍정적 사고'까지 갖추게 된다면? 자신이 가진 단점의 긍정적인 면을 보고, 오히려 장점으로 승화시켜 더 큰 사람으로 성장해가는 자세. 이런 마음을 갖고 세상을 살아가면, 어찌 성공하지 않을 수 있을까 싶다. 2018 평창 동계올림픽 스노보드 하프파이프 종목에서 금메달을 딴 클로이 김의 아버지도 달랑 800불 들고 미국에 가서 온갖 잡일을 하며 집안을 일구었다. 가진 것 없이 바닥 일을 하며 공부할 때도, "주어진 환경에서 잘하면 된다. 열심히 해봐서 안 되면 그때 포기하면 그만이지, 남을 원망하진 않았다."라고 인터뷰에서 밝혔다. 부모나 환경을 탓하지 않고, 자기 인생에 스스로 책임지며, 역경을 오히려 발판삼아 발전하려는 노력은 어느 성공 스토리에서나 볼 수 있는 '승리의 비결'이다.

### 미래 예측과 자녀교육

하루 벌어 하루 살기 바쁜 흙수저가 특히 취약한 점이 미래 대비 능력이다. 생존환경이 어떻게 변해 가는지 모른다면, 안전장치 하나 없는 흙수저는 한순간에 나락으로 떨어질 수 있다. 그래서 흙수저는 세상 변화에 더욱 민감해야 한다. 나는 물론, 미래를 살아갈 자녀의 교육과 진로지도를 위해서라도 미래 변화에 관심을 가져야 한다. 자녀의 미래가 어둡다면, 우리의 흙수저 탈출은 요원한 일이 될 테니까. 미래가 어떻게 변할지 알려면, 인구통계를 분석하고 과학기술의 발전을 눈여겨봐야 한다. 인구통계는 현대 경영학의 아버지 피터 드러커도 인정한 미래 예측 도구다. 인구통계는 하루아침에 바뀔 수 없으므로, 가장 확실한 미래 예측 수단이 된다. 성공적인 부동산 투자도 인구통계 분석이 기본이다. 인구구조 변화에 따라 부동산 수요도 달라지니 당연하다.

과학기술 분야에서 작금의 최대 화두는 무엇인가? 바로 '4차 산업혁명'이다. 4차 산업혁명은 2016년 1월 초 스위스 다보스에서 열린 '세계경제포럼'에서 언급된 개념이다. '3차 산업혁명을 기반으로 한 디지털과 바이오산업, 물리학 등의 경계를 융합하는 기술혁명'을 말한다. 4차 산업혁명은 3차 산업혁명의 연장선에 있는 것이다. 3차 산업혁명의 특징은 2차 산업혁명으로 이룬 대량생산을 컴퓨터 제어를 이용한 생산 자동화로 더욱 진화시킨 것이었다. 4차 산업혁명의 주요 키워드는 '하드웨어와 소프트웨어의 결합', 모든 '사물'이 '인터넷'으로 연결되며 데이터를 만들어내는 초연결 사회, '데이터'가 '지배'하는 산업현장, 고객의 욕구를 충족하는 '똑똑한 제품과 공장' 등이다. 4차 산업혁명 시대에는 디지털 소외계층의 생존이 더 위협받을 수도 있다. '디지털 디바이드'가 심화할 수 있다는 뜻이다. 인공지능, 사물인터넷, 빅 데이터, 가상현실 등 4차 산업혁명을 이끄는 새로운 기술이 스마트폰을 기반으로 확산되고 있으니 말이다. 당장 스페인 바르셀로나에서 열린 세계 최대 모바일 전시회 'MWC(Mobile World Congress) 2018'의 주인공은 차세대 통신 5G였다. 여기에 세계 유수의 IT 기업들이 5G 통신망을 기반으로 해서 인공지능(AI)과 사물인터넷(IoT), 블록체인, 보안기술 등을 망라한 스마트 시티 솔루션을 들고 나왔다. 모든 것이 연결된 새로운 세계가 눈앞의 현실로 성큼 다가선 것이다.

4차 산업혁명 시대에는 일자리 역시 크게 바뀔 전망이다. 2016년 다보스포럼에서는 4차 산업혁명으로 인해 2020년까지 세계 주요 15개 국가에서 전통적인 일자리 710만 개가 사라지고, 200만 개가 새로 생길 것이라는 전망이 나왔다. 스마트 기기를 통해 이 같은 기술과 서비스를 접하지 못한 소외 계층은 향후 일자리 경쟁에서도 불리한 위치에 설 수밖에 없다. 당연히 4차 산업혁명을 계기로 대학교육 시스템을 개편해야 한다는 주장도 나온다. 이러한 미래의 변화를 읽고 대비하지 못하면 탈출은커녕 손자 세대까지 흙수저를 대물림할 수도 있다. 자녀 교육의 초점은 창의성을 길러주는 쪽으로 변화가 필요하다. 배운 것을 적용하는 차원의 성실과 노력만으로는 일정한 한계를 넘기 어렵다. 세상이 끊임없이 변하고 있어서, 기존에 배운 것은 금방 무용지물이 되기 때문이다. 앞으로 4차 산업혁명에서 창의성은 '생존'의 문제가 된다. 30년 전 가장 주목받던 직업, 잘 나가던 기업이 지금은 어떻게 되었는가? 미래학자 앨빈 토플러가 생전에 한국을 방문했을 때 이런 말을 해서 화제가 됐다.

"한국의 학생들은 학교와 학원에서 미래에 필요하지도 않은 지식과 존재하지도 않을 직업을 위해서 하루에 15시간을 낭비하고 있다."

뜨끔하지 않은가? 깊이 새겨들어야 할 말이다. 자녀 교육 측면에서 대응성을 높이려면, 미래의 변화를 내다볼 수 있어야 한다. 부모인 우리부터 끊임없이 공부하고, 변해야 하는 지극히 현실적인 이유다. 중국 학부모들은 요즘 영어보다 중요하다며 '스템(STEM)' 교육에 열성이라고 한다. 미래 산업의 화두가 빅 데이터 활용과 인공지능이기 때문이다. 스템은 과학(Science), 기술(Technology), 공학(Engineering), 수학(Mathematics)을 통합적으로 가르치는 것을 말한다. 오바마 전 미국 대통령 재임 시절 미국에서 처음 도입된 개념이다. 세계화 시대에 영어가 필수였다면, 인공지능 시대에는 스템이 필수가 될 것이다. 세상은 이렇게 변해가고 있다.

### 인공지능 시대 대비

이세돌 9단과 알파고의 대국 이래 인공지능에 대한 관심이 급격히 높아졌다. 그 후 1년 반 만에 알파고를 상대로 100전 100승을 거둔 알파고 제로가 등장했다. 인공지능의 능력이 어디까지 미칠지, 두려움마저 느끼게 된다. 미래에 영화처럼, 인공지능 로봇과 인간 간에 전쟁이라도 날까 봐. 미래 인공지능과 경쟁해야 할 우리 자식들은 어떻게 교육해야 할까? 우리는 체스 · 바둑처럼 고도의 계산능력을 갖춰야 하는 분야에서, 인간의 최고수가 더는 컴퓨터의 적수가 되지 못하는 것을 똑똑히 지켜봤다. 그런데도, 수학 문제를 기계적으로 풀게 하고, 단편적 지식이나 암기하는 교육을 시켜서 되겠는가. 그래선 미래에도 흙수저를 벗어나기 힘들 것이다. 인공지능 시대의 대두에 절망만 할 일이 아닌 것은, 인공지능의 등장으로 사라질 직업도 있지만, 새로 탄생할 직업도 분명히 존재한다는 사실 때문이다. 오히려, 인공지능을 이용해 부가가치를 더욱 높일 수 있는 직종도 있을 것이다. 이러한 변화를 읽고 자녀 교육에 대비해야 흙수저의 대물림을 끝낼 수 있다.

'모라벡의 역설(Moravec's Paradox)'이 있다. 모라벡은 미국 카네기멜런 대학의 로봇공학자다. 이 역설은 인공지능 분야에서 다뤄지는 유명한 논증 중 하나인데, 사람에게 쉬운 이미지 판독이나 걷는 것은 로봇이나 인공지능에게 어렵고, 사람에게 어려운 계산은 로봇, 인공지능에게 쉬운 아이러니를 표현한 말이다. 인공지능 시대에 사람이 상대적 우위를 갖고 집중해야 할 분야를 선택할 수 있게 통찰력을 주었지만, 인공지능과 로봇개발의 초창기에 있었던 이 역설도, 기술 발전으로 점차 깨지고 있다. 인공지능을 포함한 과학기술의 발전을 주의 깊게 관찰하며, 시대변화를 읽고 대비할 일이다.

### 스마트폰 중독 벗어나기

당신은 성화에 못 이겨 아이들 손에 스마트폰을 쥐여 주었는가? 아니면, 당신 자신이 스마트폰 중독인가? 그렇다면, 다음 말을 새겨들어야 한다. 전문가들은 지금 유아기인 아이들이 어른이 되는 20여 년 후면, 패륜 범죄나 '묻지 마' 살인사건이 더 많아질 것이라고 경고한다. 스마트 폰 중독의 위험성은 여러 측면에서 제기되고 있다. 그중 팝콘 브레인은 현실에 무감각해지고 주의력이 크게 떨어져 강한 자극에만 반응하게 되는 뇌 상태를 말한다. 그보다 더 큰 문제는 스마트 폰이 사람과의 접촉 기회를 빼앗는다는 것이다. 스마트 폰을 통한 연결은 사람과의 접촉과 다른데, 착각하고 산다. 사람을 접촉하지 않으니, 감정을 담당하는 뇌 영역이 붕괴될까 걱정해야 할 지경인데도 말이다.

등골이 오싹해지지 않는가? 스마트폰에 중독된 아이들 손을 잡고, 도서관으로 향해야 할 충분한 이유가 된다고 생각한다. 좋은 습관은 반드시 성과로 보답한다. 우리 아이들이 훌륭하게 자라주길 진정으로 바란다면, 아이들 손 잡고 도서관에 놀러 가보자. 아이들에게 도서관에서 노는 습관을 길러주고, 우리 자신도 독서로써 변화를 시작해 보자. 우리나라도 근래 동네 도서관을 많이 짓고 있지만, 미국엔 동네 도서관이 많다. 미국에선 도서관에서 아이들 손 잡고 부모들이 함께 책을 보거나, 노는 모습을 흔히 본다. 이렇게 자라나는 아이들이 인성이 훌륭하고 책을 좋아하는 어른이 되지 않을까 싶어 부러운 모습이었다. 발명왕 에디슨도 교사였던 어머니 손을 잡고 디트로이트 도서관에 가 있던 책을 모조리 읽었다고 하지 않는가.

계기가 무엇이든, 나부터 변해서 성공으로 향하는 선순환 열차에 올라타 보자. 아이들도 그 대열에 동참시켜야 한다. 그래야, 흙수저에서 탈출할 수 있다. 우리 자식들의 미래를 제대로 준비시키지 않으면, 우리 아이들은 다시 흙수저로 살게 될 것이다. 흙수저 탈출! 불가능하지 않지만, 절대 쉽지 않다는 점을 명심해야 한다. 만약, 당신 자신이 스마트폰 중독이라면, 도서관과 친해지는 것은 당신 스스로 변화할 중요한 계기가 될 것이다.

### 기본에 충실한 자녀 교육

성공적인 인생을 산다는 것과 기업경영을 성공적으로 해내는 것은 본질에서 같다. 우리 모두 자기경영의 CEO가 돼야 한다. 그러기 위해서는, 기본과 원칙에 충실해야 한다. 기본과 원칙에 충실한 기업이 건실하게 성장하고, 오래 간다. 자녀 교육도 마찬가지다. 우리는 일이 잘 풀리지 않을 때면 금방 효과가 나타나는 특효약을 찾는다. 책도 자극적인 방법을 과시하는 '하우투 북'에 의존한다. 물론, 이런 종류의 실용서가 불필요한 것은 아니다. 다만, 처한 상황을 거시적으로 바라볼 필요가 있다는 뜻이다. 역경의 근본적인 원인을 실용서만으로는 알 수 없기 때문이다. 기본과 원칙은 고전을 통해 배울 수 있고, 위인들의 전기를 읽고 배울 수도 있다.

미국 건국의 아버지로 불리며, 피뢰침의 발명자이기도 한 벤저민 프랭클린은 자수성가의 전형으로 꼽힌다. '시간은 돈이다.'라는 유명한 말도 프랭클린이 한 말이다. 프랭클린이 서점에서 점원으로 일할 때, 손님이 와서 책값을 물었다. 프랭클린은 5불이라고 했는데, 서점을 나갔던 손님이 다시 와서 책값을 또 물었다. 책을 읽고 있던 프랭클린이 이번엔 6불이라고 했다. 아까는 5불이라더니 이제는 왜 6불이냐고 손님이 따져 묻자, 프랭클린이 "Time is money."라고 답했다는 잘 알려진 일화에서 유래한다. 이 말은 단순히 시간 관리의 문제뿐 아니라 근면·성실의 윤리관도 포함하고 있다. 프랭클린은 1706년 보스턴에서 비누와 양초를 만드는 집안의 15번째 아이로 태어났다. 열 살 때 집안 형편 때문에 학교를 그만두고 형의 인쇄소에서 일을 배웠다. 읽고 쓰는 법을 독학했고, 독서 방법과 인쇄업에 관한 지식 등 모든 것을 스스로 익혔다. 정치가, 외교관, 과학자, 사업가 등으로 큰 업적을 남긴 프랭클린은 특별한 일로 한 번에 벼락출세한 것이 아니다. 누구나 할 수 있는 작은 일을 매일매일 실천해서 성공한 것이다. 그는 사업을 할 때도 항상 사회와 연결되는 지점을 의식했다. 일찍부터 사회에 도움 되는 일을 할 것이라는 큰 뜻도 품고 있었다. 우리 같은 흙수저에게 그는 롤 모델이며, 그의 자서전은 필독서여야 한다.

벤저민 프랭클린, 스티브 잡스 같은 뛰어난 인물들은 자기관리의 중요성을 누구보다 잘 알았다. 정확한 시대 인식과 새로운 가치를 낳는 창조성도 가지고 있었다. 그보다 더 중요한 것은, 자신의 한계를 알고, 모든 것을 혼자서 해내는 것은 불가능하다는 것을 알았다는 점이다. 철저한 시간 관리와 자기관리, 성실성, 창조성, 뚜렷한 주관 등은 성공한 인물이 갖는 특성이다. 그중에서도 이들이 혼자서가 아니라 동료와 더불어 협력하며 성공했다는 점은, 자녀를 교육하는 부모가 명심해야 할 핵심 포인트다.

건강은 흙수저의 아킬레스건

"그 집 아저씨 참 안됐어. 죽도록 고생해서 이제 살만하다 했더니 암에 걸렸다네."

우리는 주변에서 이런 말을 자주 듣는다. 흙수저로 태어나 자기도 한번 잘살아 보겠다고 '죽도록' 고생했다는 얘기다. 죽도록 고생했으니, 자기 몸은 언제 돌봤겠는가. 필시, 고생해서 모은 돈은 병원비로 다 털릴 거다. 남은 처자식은 다시 빈곤의 나락으로 떨어질 거고. 이러니 악순환의 고리를 끊지 못한다. 지금이라도 술, 담배 끊고 건강에 신경 쓰자. 가족을 위한 최소한의 의무다. 건강해야 공부도 잘하고, 돈도 번다. 어릴 때부터 자녀들 건강관리에 신경을 써야 하는 중요한 이유다. 중학교, 고등학교를 거쳐 대학에 가면 경쟁하는 학생들 머리는 비슷비슷하다. 중요한 시험에서 승패를 가르는 것은 집중력이고, 집중력은 체력에서 나온다. 공부는 엉덩이로 하는 것이라는 말도 같은 뜻이다.

나는 담배를 전혀 피우지 않는다. 열세 살 때 동네 형이 피우고 남긴 꽁초 주워서 호기심에 세 모금 빨아본 것이 전부다. 그 후론 입에 댄 적도 없다. 술은 회식이 있을 때, '소폭' 딱 한 잔 마신다. 소주는 석 잔, 맥주는 한 캔이 정량이다.

특별히 하는 운동은 없지만, 산책을 자주 하고 11층 집을 걸어서 올라다닌다. 건강검진 받으면 다소 과체중이긴 하지만, 특별한 문제는 없고 근육량은 평균치보다 높게 나온다. 컨디션 유지를 위해 점심시간에는 꼭 낮잠을 잔다. 가장의 건강관리는 가족을 위해 매우 중요한 문제다. 사람마다 여건이 다르니, 자신만의 건강법을 개발해 꼭 실천해보자. 과거의 나쁜 습관은 하루빨리 버리고.

나이가 들면 여기저기 몸이 고장 나서 아프다. 피로에 찌들어 힘들다. 선배 한 분이 추천하고, 내가 직접 실천해서 효과가 좋았던 양생법을 소개한다. 각 부위를 마사지하기 전에 먼저 두 손을 비벼 따뜻하게 해야 한다. 첫 순서로 눈, 코, 입과 그 주위를 두 손으로 10회씩 문지른다. 귀는 왼손으로 왼 귀, 오른손으로 오른 귀를 돌리듯 30회씩 문지른다. 이어서 머리는 이마부터 앞머리, 정수리, 목 뒤, 목 앞까지 두 손으로 20회 문지르고, 머리 전체를 두 손으로 골고루 100회 두드려 준다. 다음은 옆구리 신유혈로 부신과 신장 주위를 20회 문지른다. 배는 전체를 오른손을 가지고 시계방향으로 20회 문지른다. 계속해서 엉덩이는 엉덩이뼈 위와 엉덩이 갈라진 부위를 각 20회 비벼주고, 무릎도 두 손으로 동시에 20회 문질러 준다. 끝으로 발바닥을 왼발은 오른손으로, 오른발은 왼손으로 각 30회 이상 문지르면 된다. 일어날 때 잠자기 전, 몸 상태가 안 좋을 때 해보면 좋다. 몸이 깨어나고 건강해지는 느낌을 받을 것이다. 국민 소득이 3만 불을 넘으면 예방의학에 대한 관심이 높아지고, 마사지 수요도 늘어난다. 마사지는 근육과 신경, 힘줄, 인대, 관절 등이 손상되어 생기는 근골격계 통증 해소에 효과가 있다. 염증을 줄이고 세포 재생을 돕기도 한다.

또한 나이가 40대, 50대에 접어들면 동네 명의를 찾아 병원과 꼭 친해질 일이다. 수시로 진료받고 치료하면, 큰 돈 쓰지 않고 건강할 수 있다. 나는 시골에서 마땅한 명의를 찾지 못해 서울 을지로까지 가서 동네 명의로 소문난 분을 찾아 진료를 받는다. 특별한 이유 없이 늘 피곤한 증상도 나았고, 고지혈증도 치료했다. 오래 의자에 앉아 있는 탓에 엉덩이와 다리 근육이 뭉쳐 생긴 통증도 치료했다. 동네 명의를 주치의 삼아 친해지면 삶의 질이 좋아진다. 만성화돼 병인 줄도 모르는 증상이 실은 다 의학적 원인이 있는 것이다. 어려서 공을 찬다고 돌부리를 걷어차 퉁퉁 부었던 발이 후유증으로 40년 가까이 조금만 오래 걸으면 아팠는데, 그것도 주사 한방으로 치료했다. 이상 증세를 방치해서 병을 키우진 말자. 가장의 건강은 가족을 행복으로 이끄는 등대가 된다.

50대에 접어든 나의 꿈은 홀어머니 돌아가실 때까지 건강히 사시도록 잘 모시고, 내 아내와 내 자식들과 소소한 일상의 행복을 나누며 더 많은 시간을 함께 보내는 것이다. 소박하고 평범해 보이는 꿈이지만, 이루기 위해 충족해야 할 전제조건은 많다. 노후에 시간과 돈에 쫓기지 않아야 한다. 시간은 많은데 돈이 없거나, 돈은 많은데 시간이 없으면 내 꿈은 이뤄지지 않는다. 그래서 나는 근로 외 소득원을 만들기 위해 부동산과 주식에 투자한다. 소득과 일하는 보람을 동시에 줄 직업을 갖기 위해 공부도 한다. 꿈에 이르기 위해 세워둔 중간 목표는 많다. 이 모든 것이 건강할 때 가능함은 물론이다. 만약을 대비해 실비보험과 보장성 보험도 들어 뒀다.

### 성공한 리더 따라하기

리더는 남보다 앞선 사람이다. 리더는 성공한 사람이다. 성공한 리더처럼 행동하면 우리도 성공할 수 있지 않을까? 리더에겐 공통점이 있다. 리더는 다른 사람과 함께 발전하길 원한다. 대단할 건 없지만 나도 작은 조직의 리더다. 나도 부하직원들이 발전하길 진심으로 바란다. 내가 그들의 발전을 위해 해줄 수 있는 게 없을까 고민한다. 현실적으로 내가 해 줄 수 있는 건 그들이 조직에서 발전할 기회를 주는 것밖엔 없다. 교육을 받을 기회는 최대한 보장한다. 선배나 상사로부터 멘토링을 받으며 성장할 기회를 얻도록 돕는다. 상사인 내 개인을 위해서가 아니라 회사를 위해 일하도록 권한 행사에 주의하고, 나로 인해 부하들이 잡일을 하지 않도록 배려한다. 윗사람에게 보고서를 올릴 일이 있으면 보고서를 다듬도록 도와주고, 고생한 부하가 빛나도록 직접 보고할 기회를 준다. 부하와 더불어 성장하는 내 나름의 방식이다.

리더십에 관한 다양한 연구 결과를 보면 리더의 특성이 다음 몇 가지로 요약된다. ① 정직, ② 선견지명, ③ 역량, ④ 영감 부여, ⑤ 지성, ⑥ 공정성. 놀랍지 않은가? 정직이 리더의 제일 조건이라는 것이. 얍삽한 처세의 달인이 성공할 거라는 일반의 편견을 뒤집는 결과다. 장사의 핵심 노하우도 정직이요, 성공의 비결도 정직이다. 거기에다, 선견지명과 역량, 지성을 갖추려면 책 읽고 공부해야 하지 않겠는가. 진리는 너무나 평범하다. 이 밖에 일반적으로 존경받는 리더의 조건으로 거론되는 바는, 겸손, 온화함, 긍정적 언행, 경청, 배려, 자신감, 아랫사람에게 기회 제공, 감사, 동기 부여, 유머 감각, 집념, 정직, 신뢰, 믿음, 용기와 같은 것들이다. 결국, 훌륭한 인격과 좋은 인성을 가진 사람이 리더가 되고 성공한다는 것과 같은 말이다.

### 더불어 잘 살기

살면서 한 가족이 '빈곤의 악순환'을 벗어나는 게 얼마나 어려운지 실감할 것이다. 나만 잘하면 될 것 같지만, 부모와 피를 나눈 형제가 어려움에 부닥쳤을 때 외면하는 건 쉽지 않다. 형제들이 각자 자신의 몫을 다하며 조금씩 발전해 가면, 다른 형제도 시너지 효과를 누릴 수 있다. 처음엔 더디나 힘이 축적돼 어느 순간에 이르면, 서로 밀어주고 끌어줄 수 있게 된다. 그러나 형제 중 하나라도 일을 그르쳐 경제적 곤궁 상태에 빠지면, 다른 형제도 직간접적 영향을 받는다. 어렵게 살린 성장 동력이 꺼질 수 있다. 사회엔 불우한 이웃이 많다. 힘닿는 대로 어려운 이웃은 도와야 한다. 그런데, 흙수저 주변엔 어려운 사람이 많다. 특히, 가족들이 그 불우이웃에 해당할 가능성이 높다. 우리가 복지시설을 찾아가 기부하고 선행을 하면, 언론 매체를 탄다. 가족과 친척을 도우면, 신문에 나진 않는다. 혹시, 그런 이유로 가까이 있는 어려운 가족과 친척을 외면하고, 멀리서 도와줄 불우이웃을 찾는 일은 없어야 할 것이다. 어려운 가족부터 챙기는 것이 흙수저에겐 선행이고, 더 인간적인 일이라고 생각한다.

돈은 있다가도 없고, 없다가도 있는 것이다. 흙수저 탈출에 더 중요한 것은 좋은 인성이라는 '성공 유전자'를 내재화하고, 삶에서 이를 실천했는지다. 가족 중에 일확천금을 노리는 사람이 있다면, 반드시 그 화가 다른 가족에게 미친다. 성실한 자세와 노력, 신용, 세상에 대한 끊임없는 공부, 정직한 마음, 이런 것들이 모여 부자를 만든다. 최소한 망하지는 않는다. 자식을 키울 때, 이런 인성을 갖도록 하는데 부모의 역할이 중요한 것은 말할 필요도 없다. 그러한 부모의 역할은 솔선수범으로 완성된다. 자식들은 부모의 유전자를 공유한다. 가정교육과 부모의 삶을 통해 배우고, 그대로 재현할 가능성이 높다. 리처드 도킨스가 「이기적 유전자」에서 '밈(Meme)'의 개념으로 설명했듯, 가족 단위의 고유한 문화는 사회적 유전 형태로 자식들에게 전달된다. 어려운 이론적 논의를 떠나서도 부모가 제대로 살지 않으면, 자식들에게 그대로 대물림돼 '빈곤의 악순환'을 벗어나기 어렵다는 것은 우리의 상식이다.

## 목표 구체화로 자기불신 벗어나기

"나는 할 수 있다. 나는 해낸다.
나에게는 저력이 있다. 나에게는 오직 전진뿐이다.
이런 신념을 지니는 습관이 당신의 목표를 달성시킨다."
_단테

### 흙수저 탈출의 적, 자기불신

나도 그랬지만 아무래도 흙수저 출신은 콤플렉스에 시달릴 가능성이 높다. 이것저것 결핍 속에 자랐으니 상대적 박탈감, 자격지심, 세상에 대한 분노, 부모에 대한 원망 등 정신건강을 해칠 요소가 많다. 콤플렉스는 정신분석학 개념으로 사람의 마음속 서로 다른 구조를 가진 힘의 존재를 의미한다. 콤플렉스는 상황을 왜곡하여 보게 하며, 그 세기에 따라 많은 상황을 중립적 · 객관적으로 보기 어렵게 만든다. 뿐만 아니라, 생각과 감정, 행동에도 영향을 미친다.

콤플렉스가 꼭 나쁜 것만은 아니다. 누구에게는 콤플렉스가 열등감의 원인이지만, 누구는 극복하고 강점으로 탈바꿈시킨다. 가정환경을 탓하지 않고, 자신에게 부족한 부분을 극복하여 인생을 성공으로 이끄는 것은 자신에게 달린 일이다. 알고 보면, 자기불신도 사람이라면 누구나 가지고 있는 자기보호 메커

니즘이다. 많은 사람 앞에서 어리석은 행동을 하지 않도록 방어심리가 작동하는 것이다. 동시에 자기불신은 우리가 큰일을 해내지 못하도록 방해하는 요소가 되기도 한다. 자기 불신이 전혀 없는 사람이 되는 것은 불가능하지만, 자기불신을 제어하고 극복하는 것은 가능하다. 우리 의지로 콤플렉스와 자기불신을 극복하고, 성공적인 인생을 살 수 있다.

첫 번째로, 우리가 이루고 싶은 간절한 꿈을 글로 적고 말로 외워보자. 긍정적인 자기암시는 자기 불신 탈출에 도움이 된다. 무엇이든 자신이 원하는 긍정적인 모습을 적고 말로 표현해 보라. 자기암시는 위약효과로 알려진 플라세보효과에서 유래한 것이다. 자기암시 요법은 인간의 자아를 의식적 자아와 무의식적 자아로 나누고, 의식적으로 무의식적 자아를 조절하고 유도하는 요법이다. 나도 건전한 자기 이미지를 만들고, 자신감을 키우는 데 자기암시를 많이 활용했다. 수년 전 론다 번의 '시크릿'이라는 책이 선풍적인 인기를 끌었지만, 내가 목표를 적어두고 마음속에 되새김하던 때는 40여 년 전이다. 그러니 론다 번의 책과는 전혀 관계가 없다. 처음엔 내가 정한 목표를 잊지 않기 위해 시작했다. 수십 년을 지속하니 꿈이 실현됐다. 시크릿을 읽진 않았지만, 그 효과는 체험으로 알고 있었던 것이다. 사람의 뇌는 말하는 대로 움직인다고 한다. 이를 '각인효과'라고 하는데, 자기암시로 뇌에 꿈을 각인시키면 뇌가 그대로 움직여 꿈이 실현되는 메커니즘으로 설명할 수 있다. 그 과정에서 자기 불신은 자연히 극복된다.

그런데 여기서 한 가지 짚고 넘어갈 일이 있다. '혹시 우리는 성공을 두려워하고 있지는 않은가?' 자문해 보는 일이다. 무슨 얼토당토않은 소리냐고? 우리가 모두 성공을 간절히 원하고 있는데? 과연 그럴까. 가난한 사람에게 큰돈이 갑자기 생기면 더럭 겁이 나서 감당을 못한다. 회사에서도 큰일을 해보지 않은 사람에게 대형 프로젝트를 맡기면 겁부터 낸다. 성공 경험이 없어 성공한 자신의 모습이 믿음 속에 없으니 그렇다. 사람이 성공을 겁내는 이유는 무의식 속에 각인된 내 모습과 다르기 때문이다. 어려운 환경 속에서 좌절만 맛보고 살아온 사람은 한편으론 성공을 꿈꾸지만 정작 마음속에는 두려움이 있다. 실패를 자주 경험한 사람은 성공을 열망하면서도, 마음 한구석에 성공에 대한 두려움과 실패에 대한 익숙함이 자리하고 있다. 성공하려면 우리는 이것부터 극복해야 한다. 믿음의 방향을 바꾸려면 관성을 깰 인위적 힘이 필요하다. 그래서 자기암시도 필요하고, 목표를 적고 되뇌며 각인시키는 과정도 필요하다. 진심으로 바라고, 믿어야 이루어지니까. 이 믿음을 강화해 주는 것은 하루하루 계속되는 자기 변화의 노력이다. 작은 성공 경험이라도 쌓이면 믿음은 더욱 강화된다. 종교를 가진 분들에겐 기도와 종교적 믿음이 그 자리를 대신할 수 있을 것이다.

### 비전·꿈·목표 글로 적고 외우기

내 경험으론 꿈과 목표를 글로 적고 외우면, 나의 정체성에 관한 믿음을 바꾸고 목표를 이루는 데 큰 도움이 된다. 비전을 적고 외우기를 반복하면 목표를 이룬 내 모습이 점점 나의 정체성으로 변해 간다. 한 연구에 의하면, 사람들은 5%만 꿈을 글로 적는데, 그중 95%가 꿈을 이룬다고 한다.

1979년 하버드대 경영대학원 졸업생을 대상으로 한 설문조사 결과는 유명하다. 설문에서는 먼저 장래 목표를 설정하고 기록한 다음 성취하기 위해 계획을 세웠는지 물었다. 답변자의 3%만이 명확한 비전을 설정하고 종이에 기록했다고 했고, 13%는 비전을 세웠지만 종이에 기록하지 않았다고 했다. 대다수인 84%는 졸업한 후 여름휴가 계획 외에 구체적인 목표가 없었다. 그로부터 10년

뒤 이들 학생을 대상으로 다시 확인했더니 놀라운 결과를 얻었다. 비전을 세웠지만 기록하지 않은 13%는 비전이 없던 84%보다 평균 2배의 수입을 올리고 있었고, 명확한 비전과 계획을 기록한 3%는 나머지 97%보다 평균 10배의 수입을 올리고 있었던 것이다. 3%와 97%의 학생들을 가른 차이점은 '비전을 종이에 기록 했는가'이다.

내가 이 조사결과를 알았을 리 없지만, 나는 정확히 그대로 실천했다. 비전과 목표를 메모해 두고 수없이 되뇌었다. 40여 년이 지난 지금도 따로 적어두고 수시로 보면서, 상황변화가 있으면 수정하고, 목표 달성의 결의를 다진다. 처음 목표를 적고 반복해서 읽고 다짐하던 때가 열두 살 무렵이었다. 첫 목표는 검정고시 합격이었고, 대학 갈 무렵엔 사법시험 합격, 법학박사, 대학교수였다. 회사에 적응하느라 정신 못 차리던 직장생활 초기 몇 년만 잠시 잊고 지냈을 뿐 다시 목표 적기를 시작했고, 지금까지도 계속하고 있다. 그사이에 나는 미국 로스쿨을 거쳐 변호사가 되었고, 법학박사 학위를 받았다. 언젠가 대학 강단에도 설 생각이다. 적어뒀던 목표는 거의 이뤄졌다.

10대, 20대 때는 메모지에 적힌 내 목표가 달성되리라곤 나 자신도 확신하지 못했다. 돌이켜보면, 그때 이루고자 열망하며 수없이 되뇌었던 목표들이 내 잠재의식 속에 굳게 자리하며 나침반 역할을 했던 것 같다. 직장생활 하며 공부하는 게 너무 힘들어 '집어치워야지!'하며 잠깐잠깐 중단했던 적은 많았지만, 며칠 지나면 어느새 나는 다시 책상 앞에 앉아 있었다.

이루고자 하는 열망이 뜨겁고 목표가 명확하면 실천은 따라오고, 실천이 반복되면 습관이 된다. 습관은 인격이 되고, 마침내 인생을 바꾼다. '적수천석(滴水穿石)'이란 말이 있다. 떨어지는 물방울이 바위를 뚫는다는 뜻이니, 꾸준한 노력의 중요성을 강조한 말이겠다. 끊임없는 노력이 기술이나 기능 분야에 집중되면 최고의 장인이 될 터이고, 예술 분야에 집중되면 위대한 음악가나 화가가 될 것이다. 특별한 재능을 타고 난 사람이 그 재능에 집중하면, 그 분야의 대가가 될 것은 자명하다. 음악을 하는 큰아이는 대가의 연주를 듣고 악보를 그려낸다. 소위 'transcription'이다. 그리고 그 곡을 재연한다. 대가가 되는 지름길은 대가의 작품을 반복해서 따라하며, 내 것으로 만드는 과정을 거치는 것이다. 힘들지만 효과는 확실하다. 큰아이의 선배도 1년 간 100곡을 'transcribe'하고서, 인정받는 실력자가 됐다고 한다. 유명한 작가도 대문호의 글을 베껴 쓰는 작업으로 글쓰기를 시작한다. 지루하고 시간도 많이 걸리지만, 반복 연습과 꾸준한 노력 외에 성공할 방법은 없다.

나와 같은 대다수 보통사람은 특별한 재주나 재능이 없을 가능성이 높다. 나도 할 수 있는 것은 '공부'밖에 없었다. 대학에 가고, 취직하고, 자격증을 따는데 필요한 공부. 40년을 쉬지 않고 일하면서 공부했다. 어려운 여건 속에서 대학을 나왔고, 취직했고, 승진도 했다. 여러 분야의 공부가 쌓이면서 점차 시너지가 생겼으며, 이제는 머릿속에서 여러 가지 지식이 융합되고 있다는 느낌이 든다. 성실함으로 무장하고 끊임없이 노력하는 자세는, 가진 것 없는 우리 같은 흙수저가 갖춰야 할 제일의 미덕일 수밖에 없다. 그러한 노력이 '흙수저 탈출'로 인도해 줄 것이다. 다시 말하지만, 해가 동쪽에서 떠 서쪽으로 지듯, 진리는 평범하다. 누군가 눈이 번쩍 뜨이는 묘수를 제안한다면, 그건 속임수일 가능성이 크다.

사회생활 초기에는 실용적인 공부에 집중했다. 당장은 생존해야 했으니까. 40여 년의 노력으로 생활이 안정되고, 지식도 제법 축적된 40대 이후에는 그런 '실용적인 공부'의 한계가 느껴졌다. 어느 분야도 나보다 똑똑하고 머리 좋은 사람은 넘쳐나고, 내가 아무리 노력해도 그 분야의 최고 전문가를 능가할 수는 없는 일이다. 또한, '지식의 축적'만으로는 나 자신을 근본적으로 변화시키는 데 한계가 있었다. 의식의 변화와 확장을 불러올 높은 차원의 '진짜 공부'가 필요함을 절실히 느끼고 있다. 10대나 20대 때 좋은 스승을 만나 인도를 받았더라면, 얼마나 좋았을까 하는 아쉬움도 있다. 그랬다면, 나는 좀 더 큰 사람이 되었을 것이다.

당신이 젊다면 꿈을 크게 꿔라. 꿈꾸는 데는 세금도 없다지 않은가. 꿈을 날짜와 함께 적어 놓으면 목표가 된다. 목표를 잘게 나누면 계획이 된다. 계획을 실행에 옮기면, 꿈이 실현된다. 성공에 이르는 길은, 이처럼 명확하다. 지금 내가 적어둔 비전과 목표는 다음과 같다. 이 비전과 목표는 내 인생의 나침반 역할을 한다. 구체적인 실행계획은 따로 적어 두고, 수시로 수정한다.

내 인생의 비전은 '가족과 함께하는 행복한 삶, 사회와 인류에 보탬이 되는 보람된 삶'이다. 비전 달성을 위한 전략적 목표는 크게 다섯 개 분야로 나누었다. 외국어, 인격적 성숙, 학위 및 전문자격, 투자 활동, 경제 활동이 그것이다. 외국어는 영어, 일본어, 중국어, 독일어, 프랑스어 등 다섯 개 언어를 목표로 한다. 인격적 성숙을 위해 필요한 노력으로는 독서, 저술, 건강, 취미, 수양과 봉사 등의 활동을 정해두었다. 학위 및 전문자격 항목에는 2017년까지 이룬 것과 2018년의 목표가 적혀있다. 2018년의 목표는 경영지도사 자격 취득이다. 투자 활동에는 크게 주식과 부동산의 두 분야를 적어두었고, 공부하며 투자를 계속하고 있다. 끝으로 경제 활동에는 회사생활의 아름다운 마무리와 인생이막을 위한 창업 및 개업 준비가 포함돼 있다.

외국어는 될 수 있으면 다양하게 많은 언어를 공부할 생각이다. 외국어를 공부한다고 해서, 꼭 원어민처럼 잘해야 할 필요는 없다고 생각한다. 외국어를 공부하면 그 나라 사람들의 사고방식과 문화를 배우고, 더불어 나의 사고와 의식이 개방되는 효과가 있다. 수준은 해외여행 할 때, 식당에서 주문하고, 길 물어보고, 거리간판 이해할 정도만 돼도 성공이다. 물론, 잘할수록 좋겠지만, 시간은 제한되고 일의 우선순위가 있다 보니, 그 정도에 만족한다.

위의 다섯 가지 외국어는 과거에 공부했고, 지금도 공부하고 있는 언어들이다. 중국어는 한자가 친숙한 데다 중국어가 요즘 대세니까, 기본은 해야겠다 싶어 초급을 공부했다. 불어는 캐나다 퀘벡을 갔다, 거리 간판이 모두 불어인지라 답답해 입문서를 사다 공부했다. 프랑스를 비롯해 불어권 여행도 대비해서. 새로운 언어를 배우는 것은 언제나 즐거운 일이다. 그래서 나는 외국어 공부를 취미처럼 한다. 부수적으로, 외국어 공부는 치매 예방에도 효과가 좋다. 2016년 스코틀랜드 에든버러 대학의 연구결과에 따르면, 60~70대 나이에 외국어를 공부해도, 인지능력이 눈에 띄게 향상된다고 한다. 일반적으로 2개 국어 사용은, 다른 문화와 더 쉽게 소통할 기회를 제공해, 개인의 지능발달은 물론, 폭넓은 경험을 쌓는 데 도움을 준다. 그뿐만 아니라, 2개 국어 사용은 뇌에도 영향을 미친다. 학계에서는 인지능력 향상, 빠른 언어처리 능력, 알츠하이머 증상 지연 등을 대표적으로 꼽는다. 암보다도 무섭다는 치매의 예방. 나 자신의 아름다운 노년은 물론, 자녀들의 행복을 위해서도 외국어 공부는 남는 장사다.

독서, 저술, 봉사, 가족관계, 건강관리, 취미는 행복과 삶의 보람을 더해줄 활동들이다. 각종 학위와 자격증 취득은 내 명함의 종류와 수를 더하고 자기 주도적 삶을 지켜내기 위한, 실천적 수단이자 무기이다. 2017년까지 이미 이룬 것과 2018년 이후에 추가로 이룰 것을 적어 놨다. 경영지도사를 딴 후엔 다시 새로운 항목이 추가될 것이다. 주식과 부동산은 재테크의 기본이다. 언제든지 현금화할 수 있는 주식을 포함한 현금성 자산과 고정자산인 부동산을 1 : 3 정도의 비율로 보유하고 있다. 인플레이션 효과 때문에, 자산을 보전하고 늘리는 적절한 투자 활동이 불가피하다. 끝으로, 정년이 아직 몇 년 남아 있긴 하지만, 50대가 되었으니 회사생활도 마무리 단계를 생각할 때다. 퇴직 후 인생 이모작을 위해 창업 등 경제활동을 위한 준비가 필요하다. 연금, 보험, 부동산 등으로 노후 대비는 해 놨으니, 퇴직 후 경제활동은 돈보다는 자아실현과 삶의 보람 찾기에 초점을 맞출 것이다.

# 부자 혐오 버리고 부자 마인드 배우기

"가난 자체가 수치스러운 것은 아니다.
게으름, 방종, 사치 그리고 어리석음에서 비롯된
가난이 수치스러운 것이다."
_플루타르코스

### 약자 코스프레에서 벗어나자

'언더도그마'는 미국 보수단체 '티파티 패트리어츠'의 전략가였던 마이클 프렐이 같은 이름의 책에서 설명한 개념이다. 사람들은 '힘이 약한 사람이 약하다는 이유만으로 선하며, 힘이 강한 사람은 강하다는 이유로 비난받아 마땅하다.'는 왜곡된 신념을 갖는 경향성이 있다. 언더독(underdog : 약자)과 오버독(overdog : 강자) 사이에서 생기는 힘의 충돌 사이에서, 도덕적 판단을 할 때 '무조건 언더독이 선하다'고 생각하는 경향을 갖는단 말이다. 다음은 드라마에 흔히 등장하는 장면이다.

'여자와 아이가 한쪽에서 울고 있고, 검은 양복을 입은 남자들이 빨간 딱지를 붙이며 임의로 훼손하면 처벌받는다는 경고를 한다. 아이는 울부짖으며 저항하고 여자는 아이를 달래면서 남자들로부터 떼어낸다.'

이 장면을 보는 시청자들은 여자와 아이를 '불쌍하다'고 동정하고, 압류 딱지를 붙이는 남자들을 '나쁜 놈들'이라고 욕하며 분개한다. 과연 그런가? 여자와 아이가 불쌍할 수는 있지만, 남자들이 나쁜 건 아니다. 돈을 빌린 당사자는 여자의 남편일 가능성이 높다. 여자와 아이 쪽은 은행에서 집을 담보로 돈을 빌려 썼을 테고, 그 돈을 갚지 못해 집이 경매에 넘어갔을 것이다. 은행은 소액 예금자들의 돈으로 대출을 해줬을 테니, 경매로 채권을 회수하지 못하면 소액 예금자들은 돈을 돌려받지 못하게 된다. 채권자에게 직접 집을 처분하게 하면, 헐값에라도 빨리 팔아 채권을 회수하려 채무자의 이익을 희생시키는 부작용이 있다. 그래서 국가가 나선다. 공정한 절차로 경매를 진행하여, 사실은 채무자 쪽(여자와 아이)을 보호해 주는 것이다. 검은 양복의 남자들은 그 집행과정에서 맡은 업무를 정당하게 수행한 것일 뿐이다. 만약 불쌍한 사람 집에서 내쫓는 나쁜 제도라며 경매를 없앤다면, 정상적인 금융은 마비되고 서민은 신체포기 각서를 담보로 요구하는 지하 사채시장 말고는 돈도 빌릴 수 없게 된다.

드라마에 자주 등장하는 또 다른 장면이다.

'건장한 남자들이 노점상을 철거한다. 남루한 차림의 남녀 노점상들은 소리를 지르며 저항하지만, 힘에 밀려 주저앉아 통곡한다.'

이 장면을 보는 시청자는 하루 벌어 하루 먹고 사는 노점상은 '힘들지만, 열심히 사는 선한 사람들'이고, 철거하는 직원들은 '사무실에서 편히 일하다, 가난하고 불쌍한 사람들 못살게 구는 가진 자 편에 선 악당'이라고 생각한다. 노점상들은 과연 선한 사람일까? 그럴 수도 있고, 아닐 수도 있다. 다만, 그들이 국민의 세금으로 만든 도로에서 세금을 내지 않고, 불법으로 장사를 하는 것은 사실이다. 점포에서 세금을 내며 성실히 장사하는 상인들에게 피해를 주고 있다. 노점상이 구청 위생검사를 받을 리 없으니, 국민건강에도 악영향을 끼칠 수 있다. 요지는 약자라고 무조건 선하며, 강자라고 무조건 악한 건 아니라는 점이다. 나도 어려서 그랬지만, 흙수저의 마음속엔 부자 혐오증이 은연중에 자리 잡고 있을 가능성이 크다. 아버지도 그랬다. 한편으론 부자가 되고 싶다 하면서도, 아버지에게 돈 있는 사람, 힘 있는 사람은 모조리 '도둑놈'이었다.

흙수저를 탈출하고 싶다면 '부자는 악하다'는 편견을 먼저 버려야 한다. 그들의 사고방식도 배워야 한다. 가진 자로서 없는 사람 괴롭히는 나쁜 짓을 배우란 뜻이 아니다. 돈을 관리하고 불리는 법과 투자 마인드를 배우라는 말이다. 그들만큼, 아니 훨씬 더 부지런히 노력도 해야 한다. 세상엔 '선한 부자'가 얼마든지 있다. 우리도 그들처럼 멋진 착한 부자가 되어 보자. 약자 코스프레나 하며, '나는 선하다'는 도덕적 편안함에 안주하진 말자. 부자를 혐오하면서 부자가 될 수는 없다. 자신이 악한 존재로 인식하고 있는 바로 그 부자가 되고자 하는 욕망에서 죄책감을 느끼기 때문이다. 그러니 부자가 되려는 자신의 노력이 부도덕하게 느껴질 테고. 이래서는 최선을 다해 부자가 될 마음이 생길 리 없다. 부자가 되고 싶거든 부자 혐오를 집어 던지고, 부자 마인드를 배워보자.

부자는 어떤 생각을 할까?

나는 아직 큰 부자를 직접 만나본 적이 없다. 아마 우리들 흙수저 출신 대부분이 그럴 것이다. 부자를 만나봐야 그들의 생각을 배울 수 있는데, 기회가 없다. 시중에 나와 있는 '부자 되는 법'에 관한 책은 대부분 부자가 아닌 사람들이 쓴 것이다. 그래도 부자들의 사고방식과 행동을 유추해서 알 방법은 그것밖에 없으니, 그렇게라도 '부자 마인드'를 배워보자. 부자는 확실히 우리와 다르게 생각하는 부분이 있다.

졸부 아닌 진짜 부자의 특징적인 모습을 모아보면 대략 이렇다. 부자는 목소리가 크지 않다. 사회에 대한 불만도 드러내지 않는다. 정부 정책을 누가 비난

해도 동조하지 않는다. 처신이 그만큼 신중하다. 부자는 속내를 보이기 싫어한다. 그래서 말을 짧게 한다. 삼성의 이건희 회장이 인터뷰할 때 모습이 딱 그렇다. 부자가 되기까지 누구 못지않게 노력을 했을 테지만, 그들은 운이 좋았다고 말한다. 자기 자랑은 남의 시기나 부르지 아무 쓸모도 없음을 아는 것이다. 부자는 무엇보다 건강을 중요시한다. 또, 돈이나 인맥은 자랑하지 않는다. 그런 자랑은 적이나 만들지 쓸 데가 없다. 향우회나 동창회 같은 것도 관심이 없다. 그런 인맥이 부자에겐 불필요하다. 그리고 부자는 사마천의 사기 중 '화식열전(貨殖列傳)' 같은 책을 읽는다. 거기엔 "가난함과 부유함은 본래의 법칙이 있으니, 누가 빼앗거나 안겨주는 것이 아니다."라는 말이 나온다. 부자의 마음속엔 이런 철학이 스며있는 것이다.

우리가 진짜 부자를 만날 기회는 거의 없으니, 시중에 나와 있는 책이라도 탐독하며 배워볼 일이다. 부자의 투자 마인드와 돈 관리 방법을 설명하는 책이나, 부자가 쓴 자서전을 읽는 것도 도움이 될 것이다. 물론, 부자를 따라 한다고 다 부자가 되는 건 아니겠지만, 가능성은 분명히 커진다고 믿는다. 수백억, 수천억 부자는 아니어도 수십억 부자는 될 수 있지 않겠는가.

화식열전은 중국 '부자학'의 고전이라고 할 수 있다. 2100년 전에 어떻게 이런 통찰력을 가질 수 있었는지 놀라울 따름이다. 부자가 되고 싶다면, 일독을 권한다. 사마천은 화식열전에서 이런 말들을 했다. "부를 얻는 데는 일정한 직업이 따로 없고, 재물에도 고정된 주인이 없다. 재능 있는 자에게는 재물이 모이고, 우매한 자에게는 재물이 흩어진다. 집이 가난하고 부모님은 연로하며, 처자식은 밥도 제대로 먹을 형편이 못 되는데, 명절이 돼도 조상에게 제사 지내거나 술자리를 마련할 돈도 없는 주제에 스스로 부끄러워하지도 않는다면, 그런 인간들에게는 더 할 말이 없다."

부자가 되려면 부자에게 배워야 한다는 말이 있다. 나도 책을 통해 알게 된 것이지만, 부자는 부지런하고 생각보다 검소하다. 부자는 전문가와 친하다. 그들로부터 정보를 얻고, 발품과 손품을 팔아 정보의 진위를 가리고, 결론이 나면 과감히 실행에 옮긴다. '십년 전에 판교에 땅 샀으면 지금 부자가 됐을 텐데.' '물려받은 조치원 땅은 파는 게 아니었는데.' 당신도 이런 말로 소주잔 기울이며 하소연이나 하고 있지 않은가? 그렇다면 스스로 자문해보라. 당신은 부자들이 하는 만큼 공부하고, 부지런히 정보를 모으고, 발품 팔아 검증하고, 과감히 투자한 적이 있었던가? 아닐 것이다. 또한, 돈 몇 푼 아끼려고 전문가 도움을 받는데 인색해선 안 된다. 아니, 적극적으로 활용해야 한다. 다만, 그 전문가가 제대로 된 전문가인지 구별할 수 있을 정도의 안목은 가지고 있어야 한다. 모르면 속을까 두려워 전문가도 못 믿는다. 그래서 공부해야 한다.

### 우리가 사는 세상, 자본주의는 알아야 한다

아직 아이들이 어렸을 때, 아내와 서울에 와서 거리를 걷는데 아내가 탄식하듯 한마디 했다. "세상에! 아파트가 이렇게 많은데, 우리 집 하나가 없네." "그러게. 부자가 돼서 서울에 집 한 채 꼭 사야겠다." 지금은 크게 성공했지만 어려웠던 시절, 한 외국계 기업의 대표도 서울의 이 많은 건물과 집 중에 몸 하나 뉠 방 한 칸이 없을까 하는 생각에 서글펐다 한다. 가난한 사람들이 느끼는 공통된 정서인 것 같다. 이렇듯 서민들은 서울에 아파트 한 채 사는 게 꿈이지만, 월급만 열심히 모아서는 부자가 될 수 없다. 극소수 초고소득자를 제외하고, 월급은 아무리 많이 받아도 늘 부족하다. 게다가 월급보다 집값이 빨리 뛰고, 월급 오를 때 세금은 더 많이 는다. 신한은행의 '2017 보통사람 금융생활 보고서'에 따르면, 월 468만 원을 버는 가구는 지출 없이 모두 저축했을 때, 서울 32평

아파트(약 6억 원)를 사기 위해 10.9년이 소요되고, 소득 수준이 가장 낮은 20대의 경우, 같은 조건에서 무려 18년이 걸린다고 한다. 상황이 이러니 인생의 가장 중요한 가치가 무엇인지 묻는 설문조사에서 첫 번째가 '돈'이라고 답하고, 꿈은 '건물주'라 말하는 청소년이 늘고 있는 것도 무리가 아니다.

우리나라 헌법에서는 기본적으로 자본주의 경제체제를 채택하고 있음을 천명하고 있다. 그럼, 자본주의는 무엇인가? 위키피디아의 정의를 같이 읽어 보자.

'자본주의(capitalism)는 재화의 사적 소유권을 사회 구성원의 양도 불가능한 기본권으로 인정하는 사회 구성체이다. 사회주의적 관점에서 볼 때, 생산 수단을 가진 자본가 및 기업가 계급이 그 이익 추구를 위해 생산 활동을 하도록 보장하는 사회경제 체제로 정의하기도 한다. 재화의 사적 소유권에 대한 인정은 곧바로 재화의 매매, 양도, 소비 및 이윤의 처분 등에 대한 결정을 개인에게 일임하는 것이기 때문에 자본주의는 사적 소유권을 기반으로 한 경제체제이기도 하다. 자본주의 경제체제에서는 상품 또는 용역의 가격, 투자, 분배 등이 주로 시장경제를 통해 이루어진다.'

자본주의에서는 사유재산을 보장하니, 내가 열심히 일해서 얻은 내 몫은 내가 가져갈 수 있다. 경제활동은 시장에서 일어난다. 자본주의는 잘 살고 싶은 사람의 욕망을 그대로 제도화했고, 그 중심에는 돈이 있다. 한마디로, 자본주의는 돈이 돈을 벌어주는 경제구조다. 여기서 나는 자본주의와 사회주의를 논하고, 어느 체제가 우월한지 따지려는 것이 아니다. 우리는 자본주의 사회에 살고 있고, 부자가 되고 싶어 한다. 그렇다면, 자본주의와 돈에 대한 공부는 필수라는 점을 얘기하고 싶을 뿐이다. 흙수저를 탈출하려면, 돈의 본질을 알고 부자가 되는 법을 배워야 하지 않겠는가.

내가 주식시장에 처음 관심을 가질 때 읽었던 책 중에 인상 깊었던 말이 있다. 대학을 나와 연봉 3천만 원짜리 직장을 얻기 위해 쓴 시간과 돈이 얼마인데, 주식시장에서 돈을 벌겠다는 사람들이 공부도 하지 않고 '카더라' 통신만 믿고 덤빈다는 것이었다. 그 말에 자극을 받아 주식투자 관련 책을 20권 넘게 읽었다. 그래도, 책은 책일 뿐 실전 투자를 경험해 봐야 한다. 시장은 책대로 움직이지 않으니까. 경제뉴스 챙겨보기는 기본이다. 직장인이 주식투자를 하면 시간과 정보의 제약이 크다. 책을 통해 이론을 익힐 수는 있으나, 기관투자자나 전업투자자만큼 시간을 쓰고 정보를 분석할 순 없다. 나는 전문가의 도움을 받는 것이 현명하다고 믿는다. 약간의 돈을 써서 전문 연구원을 두는 셈이니, 효율적이다. 대신, 전문가의 말이 타당한지, 시장 상황에서 어떤 시사점을 갖는지 판단할 정도의 지식은 갖고 있어야 한다. 남의 도움을 받더라도, 부자가 되려면 그 정도 능력은 갖춰야 한다.

정도를 걸어야 돈도 번다

주식투자를 하며 크게 느낀 점은, 주식으로 돈을 벌기 위해서도 훌륭한 인격을 갖추는 게 먼저라는 사실이다. 성실히 노력해서 끊임없이 주식시장을 공부해야 한다. 일확천금에 눈이 멀어, 고위험 투자를 안전장치도 없이 감행하는 어리석음을 경계해야 한다. 주요 투자원칙을 정하고, 흔들림 없이 지킬 만큼 심지도 굳건해야 한다.

주식이든 부동산이든 투자정보가 넘치고 전문가로 자처하는 사람도 많다. 결과가 증명하기 전에는 정보의 진가를 확인할 방법도 없다. 그래도 공부하고 투자 마인드를 갈고 닦아야 한다. 내가 일확천금이나 노리고 다른 사람 눈에 피눈물 나게 해서라도 부자가 되겠다는 탐욕을 가지고 있으면, 전문가도 꼭 그런 종류의 사람을 만나 패가망신한다. 유유상종이라 하지 않던가. 부자가 되고 싶다면, 먼저 기본에 충실하고 정도를 가야 한다. 나만 잘 살겠다는 탐욕을 버리고, 더불어 잘 사는 착한 부자가 되고자 마음먹을 일이다.

### 부부가 함께 하라

성공적인 재테크를 위해서는 부부가 투자 마인드를 공유하는 것이 중요하다. 나는 선배가 권유하는 땅을 마음대로 매입했다 이혼당할 뻔했다. 지금도, 그때 일로 가끔 아내와 얘기하며 웃는다. 아내는 은행에 적금 붓고, 만기 되면 찾아서 다시 예금하고, 그것이 재테크의 전부인 줄 아는 사람이었다. 같이 법대를 나와, 아내는 공무원으로 한 평생을 보냈고, 나는 회사생활하며 경영대학원을 나왔으니, 재테크에 대한 인식차가 컸던 탓이다.

아내를 설득하다 지쳐 나 혼자 질렀는데, 그래도 이혼하자는 얘기가 나올 줄은 몰랐다. 4,500만 원에 산 땅을 훗날 9,500만 원에 판 후에는 아내의 인식도 많이 달라졌지만, 한동안 애먹었다. 나와 같은 불상사를 막기 위해 투자세미나나 재테크 강연에 부부가 함께 다니길 권한다. 지금은 나도 아내와 함께 세미나에 간다. 세미나에 가면 부동산과 재테크에 관심을 두고, 꾸준히 투자하며 성공사례를 쌓고 있는 주부들도 많다.

### 경·공매도 배워보자

부자의 투자 마인드를 배우고, 탐욕을 절제할 수 있는 인격을 갖췄다면, 주식과 부동산, 경매나 공매 등 재테크 수단에 대해서도 공부해야 한다. 내 집 마련은 예나 지금이나 서민들의 꿈 1순위이다. 결혼 후 신혼 때 전세로 아파트에 살다가 공무원임대주택과 회사 사택을 전전하며 6년여를 살았다. 종잣돈이 모이자 내 집 마련에 도전하기로 했다. 1999년 아내가 전주에 근무하던 때였다. 30평대 아파트는 돈이 모자라 어려웠고 24평 선에서 찾기로 했다. 법원경매가 지금처럼 일반화되기 전이었지만 나와 아내는 법률지식이 있었기에 집을 싸게 사는 방법으로 경매가 떠올랐다.

먼저 경매정보지에서 경매대상 물건을 찾아 나섰고, 전주 시내 중심이면서 교통이 좋은 터미널 근처 우성아파트가 눈에 띄었다. 처음 분양했을 때 인기가 높았던 아파트 단지였다. 24평형 물건의 감정평가액이 4,600만 원 전후였고, 지역마다 편차가 있긴 하나 한 차례 유찰에 20~30%씩 가격이 내려가는데, 인기 있는 아파트라 거의 1차에 낙찰되고 있었다. 향과 층을 확인해서 사람들이 선호하는 곳으로 물건을 골랐고, 처음 해보는 경매라 긴장 속에 관련 규정들을 꼼꼼히 확인했다.

보증금 10%를 준비하고, 대상 물건에 관한 권리 관계를 분석했다. 경매채권자인 은행의 근저당을 제외하고 특별한 권리 관계는 없었고, 주인이 살던 집이라 세입자 문제도 걸릴 게 없었다. 가장 중요한 매수가 결정. 시가보다는 싸고 감정평가액보다는 높은 선에서 48,110,000원에 써냈다. 결과는 낙찰! 평생 처음 해 본 경매에 낙찰이 되다니, 기분이 좋았다. 드디어 내 집이 생기는 구나 좋아하며 잔금 준비할 고민을 하고 있는데, 낯선 사람들이 찾아왔다. 경락된 아파트의 주인이었다. 자기들이 꼭 사고 싶었는데 한 번만 봐달라고, 낙찰을 포기해 달라는 부탁이었다. 경매 하다 보면 가끔 생기는 일이었다. 시세와 큰 차이가 없어서 그 정도 가격을 써낼 줄 예상 못 했다며, 보증금을 물어줄 테니 제발 양보해 달란다. 아내와 상의했고, 양보하기로 했다. 빚지고 집이 경매에 넘어가 쫓겨나는 사람들 마음을 생각해서 보증금만 받고 낙찰을 포기했다. 낙찰을 포기하면 보증금 10%는 몰취되고, 경매물건은 재매각 대상이 되어 다시 경매에 나온다. 몰취된 보증금과 다음 낙찰자가 쓴 매수가격을 합쳐 배당재원이 되니, 우선은 채권자가 좋을 일이고, 배당하고 남으면 원소유자인 채무자가 가져가니 채무자 측도 나쁘지 않은 일이었다. 그 물건은 감정평가액이 높게 나왔고 낙찰률도 높았다. 채무자 측에서 보증금을 물어주고, 대리인을 내세워 다음 기일 때 시가 수준에서 낙찰받는다면, 물어준 보증금의 전부나 일부를 다시 찾아갈 가능성도 있어 보였다.

첫 경매는 이렇게 끝났고, 연습 한번 잘했다 생각했다. 다시 물건을 찾기 위해 경매정보지를 열심히 뒤지는데, 이게 웬일인가. 다음 기일에 4,200만 원대에 같은 단지 같은 크기의 아파트가 나온 게 아닌가. 다시 입찰에 참여하기로 하고, 권리분석을 했다. 권리 관계는 첫 번째 물건과 다를 게 없었다. 집주인이 직접 살던 집이라 가장 골치 아픈 세입자 퇴거 문제를 피할 수 있어서, 이번엔 꼭 낙찰받기로 했다. 이번에는 42,110,000원을 썼다. 결과는 다시 낙찰! 앞선 경매보다 600만 원이나 싸게 사서 너무 좋았고, 더 좋은 것은 2위와 금액 차이가 단돈 만원이었던 것. 이때 세운 재테크 원칙이 누군가 피눈물 나게 하면서까지 돈 벌겠다는 생각은 버려야 한다는 것이었다. 이후 여러 번의 투자 사례에서도 어려운 처지에 있는 사람을 돕는다 생각하고 한 결정들이 모두 수익을 내는 결과를 낳았다.

최고가매수신고인으로서 잔금을 치러 정식 소유자가 되었고, 소유권이전등기도 마쳤다. 참고로, 경매에서 낙찰을 받고 매각대금을 내면 등기를 하지 않더라도 낙찰자에게 소유권이 넘어온다. 민법 제187조가 정한 법률에 의한 물권변동이기 때문에. 다만, 그 물건을 처분하려면 반드시 등기해야 한다.

이제 남은 문제는 기존에 살던 사람을 원만히 내보내는 일이었다. 토요일에 아내와 함께 그 집을 찾아갔다. 문을 열고 나오는데 등에 아이를 업고 있는 주부였다. 30대 중반 정도였고, 얼굴의 그늘에서 그간 겪었을 일들을 짐작할 수 있었다. 체념을 넘어 초월한 듯한 표정이었고, 아주 '쿨' 하게 두 달 만 시간을 달라고 했다. 순순히 협조를 해줘 고마운 마음에 이사비도 넉넉히 200만 원을 주기로 했다. 약속한 이사 날짜가 돼서 전 주인을 내보내고, 즐거운 마음으로 이사 올 준비를 하고 있었는데, 관리사무소에서 사람이 찾아왔다. 전 주인이 11개월 치 관리비 250여만 원을 체납했으니, 우리보고 내라는 것이었다. 이게 웬 날벼락인가! 관리사무소 측은 낙찰자에게 받을 요량으로 1년 가까이 전 주인에게 관리비 독촉도 하지 않았다.

이런 사태를 막기 위해, 우리 부부는 전 주인을 만나러 오던 날 관리사무소에 들렀었다. 그 날이 토요일이라 당직자로 기계설비 기사가 있었다. 밀린 관리비가 있냐고 물었더니 전산 조회를 한 후 없다고 대답해서 안심하고 이사비 200만 원을 줬던 것이다. 그날부터 관리사무소와는 전쟁 상태에 돌입했다. 우리 첫 번째 주장은 우리가 관리사무소에 확인했는데 당신들이 잘못 안내해서 이렇게 됐으니 당신들이 책임지라는 것이었고, 두 번째 주장은 전 주인의 관리비가 경매 낙찰자에게는 승계되지 않으니 우리는 한 푼도 줄 수 없다는 것이었다. 당시 우리와 같은 분쟁이 전국적으로 끊이지 않았고, 법원마다 판례도 엇갈리는 상황이었다. 그러나 다수 법원이 우리의 주장에 손을 들어주고 있었기 때문에, 나는 자신이 있었다. 그 후 관리사무소장과 몇 차례 언쟁을 벌였으나, 내 얘기는 귀담아들으려고 하지 않았다. 급기야 1월에는 우리 집 온수공급을 차단하고 말았다. 너덧 살짜리 아이 둘이 있고 할머니도 있는데, 한겨울에 온수 차단이라니. 나는 즉시 법원에 온수공급차단금지가처분을 신청했고, 즉각 받아들여져 온수 차단은 하루에 그쳤다. 관리사무소 측은 더는 우리를 어떻게 할 방법이 없어 난감해했다. 나는 가처분 승리의 여세를 몰아, 입주자대표회의를 상대로 채무부존재확인의 소를 제기했다. 피고 측은 재판기일에 출석하지 않았고, 나는 승소했다. 그 후 몇 달이 지나 판결 후에도 여전히 체납관리비 청구를 계속하던 관리사무소장은 교체됐고, 새로 부임한 관리사무소장은 법적 소양이 있는 사람이었던지, 그 판결문을 근거로 체납관리비를 즉시 말소해주었다. 지금은 대법원 판례가 확립되어 체납관리비 중 공용부분은 경매낙찰자에게 승계되고, 전유부분은 승계되지 않는 것으로 돼있다. 이렇게 실전 경험의 기회를 준 첫 법원경매는 몇 년 후 5,400만 원에 팔아 차익을 남김으로써, 나름대로는 성공적인 투자 사례로 남았다.

EPILOGUE

# 일탈은 계속된다

나는 초등학교를 그만둘 때는 타의로, 그 후론 스스로 남들이 가지 않은 길을 골라 살아왔다. 타고난 흙수저의 환경을 극복하는 과정은 너무나 힘들었다. 돈 한 푼 없었고, 누구의 도움도 받지 못했다. 어렵게 살았지만, 그래도 나는 부모를 원망한 적이 한 번도 없다. 어머니는 새벽 5시면 밥을 해놓고, 일하러 나갔다. 매일 밤 10시 넘어서야 들어오는 어머니를 보며, 원망 같은 걸 할 수는 없었다. 그러면서도 결심은 굳어졌다. 난 자식들에게 좀 더 나은 부모가 되겠다는 결심했다. 태어날 때는 부모를 선택할 수 없었지만, 어떤 부모가 될 것인지는 내가 선택할 수 있으니까.

장기불황에 서민경제는 신음하고 있고, 청년실업 문제는 나아질 기미가 보이지 않는다. 희망 없는 삶에 대해 개인의 노력 부족이 문제인지, 아니면 사회구조가 문제인지 유명 대학 교수들 간에 논쟁도 있었다. 아무리 노력해도, 어떤 사회구조에서건 희망이 없는 하위 계층은 있기 마련이다. 그들을 위하여 위정자들은 분배구조 개선 노력과 정책적 대안 마련을 해야 하는 것은 분명하다. 문제는 그런 노력이 효과를 본다고 해도, 계층 간 상대적 차이가 완전히 소멸하거나, 흙수저의 신분이 자동으로 상승하지는 않는다는 것이다. 사회적·경제적 제도 차원의 문제와 별개로, 개인은 노력으로 자신의 삶을 개선해야 한다. 살아 있는 동안 누구에게나 문제는 지속된다. 흙수저가 맞닥뜨린 문제의 상태가 좀 더 나쁜 것일 뿐이다.

문제를 개선하기 위해, 가진 것 없는 흙수저가 믿을 것은 자기 변화를 위한 일탈과 실천적 노력뿐이다. 일탈은 정해진 길에서 벗어나는 것이다. 남들과 똑같이 해선 흙수저의 삶이 나아지지 않기 때문이다. 거기에 노력이 더해져야 한다. 가장 중요한 일에 집중해서, 남보다 몇 배 더 노력해야 한다. 이때 우선순위가 중요함은 물론이다.

'모두가 위대한 사람이 될 수 있다'는 주장은 성립할 수 없다. '모두 부자가 될 수 있다'는 말도 마찬가지다. '모두가 특별하다'는 것은 '아무도 특별하지 않다'는 말과 동치 명제니까. 내가 노력한다고 해서 스티브 잡스가 될 수는 없다. 우리에게 맞는 꿈을 꿔야 한다. 냉철하게 자기 분석을 해야 한다. 그런 다음에는 '긍정의 힘'이 필요하다. 자기 불신에서 벗어날 수 있도록, 타고난 운명에 짓눌려온 흙수저에게 특히 필요하다. 긍정의 힘이 효력을 발휘하는 것은, 꿈을 계획으로 실천하는 과정에서 자신에 대한 믿음이 부족해 멈칫거릴 때이다. 그때, 긍정의 힘이 어려운 고비를 넘게 해준다. 진정한 긍정의 힘은 노력으로 역량을 키우고, 역경과 실패를 극복해 가는 과정에서 생긴다. 정당한 이유 없이 자신에게 만족감을 느껴봐야, 아무 소용이 없다. 계획과 실천이 따르지 않는 무조건적인 긍정 최면은 자칫 무모함으로 파멸에 이르게 할 수 있다. 그건 '망상'일 뿐이다.

나는 박사가 되었고, 여러 가지 전문자격도 땄다. 하지만, 여전히 성장이 고프다. 공부할수록 더 부족함을 느낀다. 책을 많이 읽고, 관심 분야 자격증도 따고, 여러 가지 외국어와 목공 일도 배우고 싶다. 나를 변화시키고 발전시킬 긍정적 '일탈'은 계속돼야 한다. 흙수저는 잠시 성공한 듯 보여도, 방심하면 다시 나락으로 떨어질 가능성이 크다. 지속해서 성장할 기반이 취약하기 때문이다. 첫째, 경제적 기반이 취약하다. 부모와 형제자매, 가까운 친척들이 어렵게 살고 있을 가능성이 크다. 나만 잘 살겠다며 외면하기는 어렵다. 둘째, 정신적 기반이 취약하다. 가난하게 자라면서 억눌렸던 자아가 어디서 다시 나의 발목을 잡을지 모른다. 셋째, 사회적 기반이 취약하다. 학벌이나 집안처럼 사회생활에서 힘이 되어 줄 네트워크가 없다. 고정된 틀을 거부하는 일탈과 성장을 위한 끊임없는 노력은 이러한 취약요소를 극복하는 원동력이 된다. 나아가 성공요소가 되어 준다. 첫째, 그로 인해 부자가 될 가능성이 커진다. 직장에서 성공하고, 전문성을 키울 수 있으며, 재테크에도 밝아지기 때문이다. 둘째, 자녀교육에 매우 좋다. 부모의 솔선수범으로 아이들에게는 호통 한 번 칠 일 없게 되고, 사교육의 필요성도 현저히 줄어든다. 셋째, 가정이 화목하고, 모두가 행복해진다. 단란한 가정과 행복한 삶은 흙수저가 지향해야 할 궁극적인 목표이다.

이처럼 흙수저에게 성공요소는 취약요소를 극복해 나가는 노력의 과정과 연결돼 있다. 흙수저 출신인 내가 여기서 멈춘다면 모든 요소에 악영향을 미치게 된다. 성공으로 이어지는 선순환의 고리는 끊어지고, 인생이 다시 쇠락의 악순환에 빠져들지도 모른다. 그래서 나는 끊임없이 성장해야 한다. 이제 갓 올라탄 '성공 열차'에서 내려올 수 없고, 자기 변화의 '일탈'을 멈출 수도 없다. 흙수저 탈출은 단순히 많은 돈을 버는 것만으로는 성공할 수 없다. 성숙한 인격, 건강, 화목한 가정, 열린 사고, 지혜와 통찰 그리고 인류와 사회의 보편적 가치에 부합하는 가치관과 생활 태도까지 종합적 완성을 이뤄 내야만 가능한 것이다.

흙수저 탈출, 일탈로 성공하기

초판 1쇄 발행 | 2018년 7월 9일

지은이 | 유민수
펴낸이 | 공상숙
펴낸곳 | 마음세상

주 소 | 경기도 파주시 한빛로 70 507-204

출판등록 | 2011년 3월 7일 제406-2011-000024호

ISBN | 979-11-5636-263-0 (03810)

원고 투고 | maumsesang@nate.com



* 값 13,200원



* 마음세상은 삶의 감동을 이끌어내는 진솔한 책을 발간하고 있습니다. 참신한 원고가 준비되셨다면 망설이지 마시고 연락주세요.

이 도서의 국립중앙도서관 출판예정도서목록(CIP)은 서지정보유통지원시스템 홈페이지(http://seoji.nl.go.kr)와 국가자료공동목록시스템(http://www.nl.go.kr/kolisnet)에서 이용하실 수 있습니다. (CIP제어번호 : CIP2018018310)